Discovering Algebra
An Investigative Approach

Lecciones condensadas en español
Condensed Lessons in Spanish

DISCOVERING

MATHEMATICS™

Key Curriculum Press
Innovators in Mathematics Education

Project Editor: Erin Gray

Editorial Assistants: Brian Collins, Shannon Miller

Writer: Stacey Miceli

Translator: A. Homero Flores, Colegio de Ciencias y Humanidades-UNAM

Consultant: Alejandra Folguera

Production Director: Diana Jean Ray

Production Editors: Jacqueline Gamble, Christine Osborne

Copyeditor: Ellen Rosenzweig

Production Coordinator: Ann Rothenbuhler

Text Designer: Jenny Somerville

Art Editor and Technical Art: Jason Luz

Composition and Prepress: Interactive Composition Corporation

Art and Design Coordinator: Kavitha Becker

Cover Designer: Jill Kongabel

Printer: ePAC

Executive Editor: Casey FitzSimons

Publisher: Steven Rasmussen

©2004 by Key Curriculum Press. All rights reserved.

Cover Photo Credits: Background image: Pat O'Hara/DRK Photo. Boat image: Marc Epstein/DRK Photo. All other images: Ken Karp Photography.

Permiso Limitado de Reproducción

El editor otorga al profesor que adquiera *Discovering Algebra: An Investigative Approach, Lecciones condensadas en español* el derecho a reproducir el material para su uso en el salón de clases. Prohibida la reproducción no autorizada de *Discovering Algebra: An Investigative Approach, Lecciones condensadas en español*.

®Key Curriculum Press es una marca registrada de Key Curriculum Press. Todas las marcas registradas que aparecen en este libro son propiedad de sus respectivos titulares.

Limited Reproduction Permission

The publisher grants the teacher who purchases *Discovering Algebra: An Investigative Approach, Condensed Lessons in Spanish* the right to reproduce material for use in his or her own classroom. Unauthorized copying of *Discovering Algebra: An Investigative Approach, Condensed Lessons in Spanish* constitutes copyright infringement and is a violation of federal law.

®Key Curriculum Press is a registered trademark of Key Curriculum Press. All registered trademarks and trademarks in this book are the property of their respective holders.

Key Curriculum Press
1150 65th Street
Emeryville, CA 94608
(510) 595-7000
editorial@keypress.com
www.keypress.com

Printed in the United States of America
10 9 8 7 6 5 4 3 2 1   07 06 05 04 03   ISBN 1-55953-676-4

Contenido

Introducción vii

Introduction viii

Capítulo 0

Lección 0.1: Lo mismo pero más pequeño 1

Lección 0.2: Más y más 3

Lección 0.3: Más corto pero más largo 5

Lección 0.4: ¿Vas a algún lado? 7

Lección 0.5: Orden en el caos 9

Capítulo 1

Lección 1.1: Diagrama de barras y gráficas de puntos 11

Lección 1.2: Resumen de datos con medidas centrales 13

Lección 1.3: Resúmenes de cinco números y gráficas de caja 15

Lección 1.4: Histogramas y gráficas de tallo y hojas 19

Lección 1.6: Datos de dos variables 21

Lección 1.7: Estimación 23

Lección 1.8: Uso de matrices para organizar y combinar datos 25

Capítulo 2

Lección 2.1: Proporciones 27

Lección 2.2: Captura-Recaptura 29

Lección 2.3: Proporciones y sistemas de medición 31

Lección 2.4: Aumento y disminución 33

Lección 2.5: Diagramas de círculo y diagramas de frecuencias relativas 35

Lección 2.6: Resultados e intentos probabilísticos 37

Lección 2.7: Resultados aleatorios 39

Capítulo 3

Lección 3.1: Uso de tasas 41

Lección 3.2: Variación directa 43

Lección 3.3: Dibujos a escala y figuras semejantes 45

Lección 3.4: Variación inversa 47

Capítulo 4

Lección 4.1: Orden de las operaciones y la propiedad distributiva 49

Lección 4.2: Escribir expresiones y deshacer operaciones 51

Lección 4.3: Secuencias recursivas 53

Lección 4.4: Gráficas lineales 55

Lección 4.6: Ecuaciones lineales y la forma de intersección y 57

Lección 4.7: Ecuaciones lineales y razón de cambio 59

Lección 4.8: Resolución de ecuaciones usando el método de balanceo 61

Capítulo 5

Lección 5.1: Una fórmula para la pendiente 63

Lección 5.2: Escritura de una ecuación lineal para ajustar datos 65

Lección 5.3: Forma punto-pendiente de una ecuación lineal 67

Lección 5.4: Ecuaciones algebraicas equivalentes 69

Lección 5.5: Escritura de ecuaciones punto-pendiente
para ajustar datos 71

Lección 5.6: Más sobre la modelación 73

Lección 5.7: Aplicaciones de la modelación 75

Capítulo 6

Lección 6.1: Resolución de sistemas de ecuaciones 77

Lección 6.2: Resolución de sistemas de ecuaciones mediante la
sustitución 79

Lección 6.3: Resolución de sistemas de ecuaciones mediante
la eliminación 81

Lección 6.4: Resolución de sistemas de ecuaciones mediante
el uso de matrices 83

Lección 6.5: Desigualdades con una variable 85

Lección 6.6: Gráficas de desigualdades con dos variables 87

Lección 6.7: Sistemas de desigualdades 89

Capítulo 7

Lección 7.1: Rutinas recursivas 91

Lección 7.2: Ecuaciones exponenciales 93

Lección 7.3: Multiplicación y exponentes 95

Lección 7.4: Notación científica para números grandes 97

Lección 7.5: Mirar hacia el pasado con los exponentes 99

Lección 7.6: Exponentes cero y negativos 101

Lección 7.7: Ajuste de los modelos exponenciales a los datos 103

Capítulo 8

Lección 8.1: Códigos secretos 105

Lección 8.2: Funciones y gráficas 107

Lección 8.3: Gráficas de situaciones reales 109

Lección 8.4: Notación de funciones 111

Lección 8.5: Interpretación de gráficas 113

Lección 8.6: Definición de la función del valor absoluto 115

Lección 8.7: Cuadrados, elevar al cuadrado, y parábolas 117

Capítulo 9

Lección 9.1: Traslación de puntos 119

Lección 9.2: Traslación de gráficas 121

Lección 9.3: Reflexión de puntos y gráficas 123

Lección 9.4: Estiramiento y encogimiento de gráficas 125

Lección 9.6: Introducción a las funciones racionales 127

Lección 9.7: Transformaciones con matrices 129

Capítulo 10

Lección 10.1: Resolución de ecuaciones cuadráticas 131

Lección 10.2: Hallar las raíces y el vértice 133

Lección 10.3: De la forma de vértice a la forma general 135

Lección 10.4: Forma factorizada 139

Lección 10.6: Completar el cuadrado 141

Lección 10.7: La fórmula cuadrática 143

Lección 10.8: Funciones cúbicas 145

Capítulo 11

Lección 11.1: Paralelo y perpendicular 147

Lección 11.2: Encontrar el punto medio 149

Lección 11.3: Cuadrados, triángulos rectángulos, y áreas 151

Lección 11.4: El teorema de Pitágoras 153

Lección 11.5: Operaciones con raíces 155

Lección 11.6: Fórmula de la distancia 157

Lección 11.7: Triángulos semejantes y funciones trigonométricas 159

Lección 11.8: Trigonometría 163

Introducción

Muchas de las ideas claves de *Discovering Algebra: An Investigative Approach* se revelan a través de investigaciones colectivas realizadas en clase. Las lecciones condensadas en este libro se presentan en español, para que los estudiantes de habla española se mantengan corrientes de los nuevos conceptos de álgebra que se descubren en las clases conducidas en inglés.

Las lecciones condensadas son versiones abreviadas de las lecciones del libro de texto *Discovering Algebra,* que se presentan en inglés en *Discovering Algebra: Condensed Lessons for Make-Up Work.*

Cada lección condensada contiene un resumen de la investigación, con todos los resultados importantes y sus implicaciones. Además, la mayor parte de las lecciones condensadas incluyen ejemplos resueltos, similares a los ejemplos de las lecciones de los estudiantes. Estos aspectos ayudan a los estudiantes a revisar lo que han aprendido en el aula y verificar que han entendido lo que pasó en la investigación. Los estudiantes pueden leer una lección condensada, al lado de su libro y sus apuntes, solos o en compañía de uno de sus padres o un amigo. Los padres que estimen que este libro es una herramienta útil para su estudiante pueden comprar una copia en Parent Store (Tienda para los Padres) en www.keymath.com.

Se verá que dentro de las lecciones, unas siglas y abreviaturas importantes se mantienen en inglés, para cuidar la uniformidad en las tareas y los exámenes hechos por los estudiantes en inglés. Dondequiera que los redactores hayan considerado que exista alguna ambigüedad en la traducción de una palabra o una frase, se da el texto en inglés entre paréntesis, para que los estudiantes sepan su correspondencia en el libro de texto.

Para un glosario completo de los términos en español, los estudiantes pueden visitar www.keymath.com/DA/Spanish.

Introduction

Many of the key ideas in *Discovering Algebra: An Investigative Approach* are revealed through group investigations done in class. Condensed lessons presented here are in Spanish translation so that Spanish-speaking students stay current on new algebra concepts that are discovered through investigations conducted in English.

The condensed lessons are abbreviated versions of the lessons in the *Discovering Algebra* student book, and are presented in English in *Discovering Algebra: Condensed Lessons for Make-Up Work*.

Each condensed lesson contains a summary of the investigation, with all the important results and their implications. In addition, most condensed lessons include a worked-out example similar to the example in the student lesson. These features help students review what they learned in class and check that they understand everything that happened in the investigation. Students can read through the condensed lesson in Spanish, using this resource alongside the student book and their notes from class, alone or with a parent or friend. Parents who find this a valuable tool for their student can buy a copy of the book at the Parent Store at www.keymath.com.

You will notice if you flip through the lessons that important acronyms and abbreviations still appear in English. This helps to maintain continuity in the homework and on tests that the students will complete in English. Wherever the editors have felt there is some ambiguity in the translation of a word or phrase, the English text is given in parentheses, so that students know what to look for in the student book.

For a full glossary of terms in Spanish, students can go to www.keymath.com/DA/Spanish.

Lo mismo pero más pequeño

En esta lección

- aplicarás una **regla recursiva** para crear un **diseño fractal**
- usarás operaciones con **fracciones** para calcular áreas parciales de diseños fractales
- repasarás el **orden de las operaciones**

Investigación: Conecta los puntos

Puedes crear un **diseño fractal** al aplicar repetidamente una **regla recursiva** para cambiar una figura. Primero aplicas la regla a la figura de la Etapa 0, para crear la figura de la Etapa 1. Después aplicas la regla a la figura de la Etapa 1 para crear la figura de la Etapa 2, a esta última para crear la figura de la Etapa 3 y así sucesivamente. Por lo general, algunas partes de las etapas posteriores de un diseño fractal se ven como en la Etapa 1. Esta característica se llama **autosemejanza.**

Pasos 1–5 En los diagramas de la página 2 de tu libro se muestran las Etapas 0–3 de un diseño fractal creado con la regla "Conecta los puntos medios de los lados de cada triángulo cuyo vértice apunta hacia arriba". Si continúas aplicando esta regla continuamente, obtendrás un diseño conocido como **triángulo de Sierpiński.**

En la hoja de trabajo Connect the Dots, crea la Etapa 4 del diseño fractal siguiendo las direcciones que se dan en el Paso 4. Mientras trabajas, piensa en los patrones que se dan de una etapa a la siguiente. El triángulo completo de la Etapa 4 debe verse como la figura de la página 9 de tu libro.

Pasos 6–10 Supón que el área del triángulo de la Etapa 0 es 1.

- El área del triángulo más pequeño en la Etapa 1 es $\frac{1}{4}$, y el área combinada de los tres triángulos que apuntan hacia arriba es $3 \times \frac{1}{4}$ ó $\frac{3}{4}$.

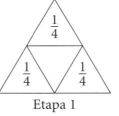

Etapa 1

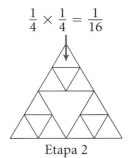

$$\frac{1}{4} \times \frac{1}{4} = \frac{1}{16}$$

Etapa 2

- El área del triángulo más pequeño de la Etapa 2 es $\frac{1}{4} \times \frac{1}{4}$ ó $\frac{1}{16}$. Ya que existen 9 triángulos de este tamaño que apuntan hacia arriba, su área combinada es $\frac{9}{16}$.

- En la Etapa 3, hay 27 (9 × 3) de los triángulos más pequeños que apuntan hacia arriba, cada uno con un área de $\frac{1}{4} \times \frac{1}{16}$ ó $\frac{1}{64}$. El área combinada de estos triángulos es $\frac{27}{64}$.

- En la Etapa 4, existen 81 (27 × 3) de los triángulos más pequeños que apuntan hacia arriba, cada uno con un área de $\frac{1}{4} \times \frac{1}{64}$ ó $\frac{1}{256}$. El área combinada es $\frac{81}{256}$.

Pasos 11–12 Se puede encontrar las áreas combinadas de los triángulos en las diferentes etapas. A continuación se presenta un ejemplo.

- Supón que el área del triángulo de la Etapa 0 es 8. Entonces, el área combinada de uno de los triángulos más pequeños en la Etapa 1, tres en la Etapa 2, y dos en la Etapa 3 es

$$\left(8 \times \frac{1}{4}\right) + \left(8 \times \frac{3}{16}\right) + \left(8 \times \frac{2}{64}\right) = 2 + \frac{3}{2} + \frac{1}{4} = 2 + \frac{6}{4} + \frac{1}{4} = 2 + \frac{7}{4}$$

$$= 2 + \frac{4}{4} + \frac{3}{4} = 3\frac{3}{4}$$

(continúa)

Lección 0.1 • Lo mismo pero más pequeño (continuación)

Se recomienda verificar tu trabajo en una calculadora. **Calculator Note 0A** te muestra cómo configurar tu calculadora graficadora para que dé las respuestas en forma de fracciones.

Cuando evalúas una expresión, asegúrate de seguir el **orden de las operaciones:** simplifica todas las expresiones que haya dentro de los paréntesis, *luego* evalúa todas las potencias, *luego* multiplica y divide de izquierda a derecha, *luego* suma y resta de izquierda a derecha.

EJEMPLO

El diagrama de la página 5 de tu libro muestra tres etapas de un diseño fractal diferente.

a. Si el área del triángulo de la Etapa 0 es 1, ¿cuál es el área combinada de uno de los triángulos más pequeños de la Etapa 1 y cuatro de los triángulos más pequeños de la Etapa 2?

b. Si el área del triángulo de la Etapa 0 es 18, ¿cuál es el área combinada de los triángulos sombreados?

▶ **Solución**

a. El área del triángulo más pequeño de la Etapa 1 es $\frac{1}{9}$.

El área del triángulo más pequeño de la Etapa 2 es $\frac{1}{9} \times \frac{1}{9}$ ó $\frac{1}{81}$.

Ahora, halla el área combinada de uno de los triángulos más pequeños de la Etapa 1 $\left(\frac{1}{9}\right)$ y cuatro de los triángulos más pequeños de la Etapa 2 $\left(4 \times \frac{1}{81}\right)$.

$$\left(\frac{1}{9}\right) + \left(4 \times \frac{1}{81}\right) = \frac{1}{9} + \frac{4}{81} \qquad \text{Multiplica por 4 antes de hacer cualquier suma.}$$

$$= \frac{9}{81} + \frac{4}{81} \qquad \text{Vuelve a escribir las fracciones, ahora con un denominador común.}$$

$$= \frac{13}{81} \qquad \text{Suma los numeradores.}$$

El área combinada es $\frac{13}{81}$.

b. El área del triángulo de la Etapa 0 es 18, de modo que puedes hallar el área combinada de los triángulos sombreados multiplicando cada área por 18.

$$\left(\frac{1}{9} \times 18\right) + \left(\frac{4}{81} \times 18\right) = \frac{18}{9} + \frac{8}{9} = \frac{26}{9} = 2\frac{8}{9}$$

O puedes multiplicar el resultado de la parte a por 18.

$$\frac{13}{81} \times 18 = \frac{26}{9}$$

El área combinada es $2\frac{8}{9}$.

Más y más

En esta lección

- buscarás patrones sobre **la forma en que crecen los fractales**
- usarás patrones para **hacer predicciones**
- usarás **exponentes** para representar una multiplicación repetida

Investigación: ¿Cuántos?

El número de nuevos triángulos que apuntan hacia arriba crece en cada etapa del diseño de Sierpiński. Si miras atentamente, verás un patrón que puedes usar para predecir el número de nuevos triángulos en cualquier etapa.

Etapa 0

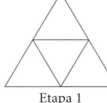
Etapa 1

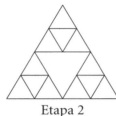
Etapa 2

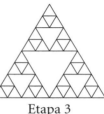
Etapa 3

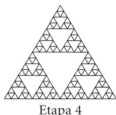
Etapa 4

Si cuentas los nuevos triángulos más pequeños que apuntan hacia arriba de las Etapas 0–4, obtendrás los resultados que se muestran en la siguiente tabla. Observa que el número de nuevos triángulos que apuntan hacia arriba en cada etapa es 3 veces el número de la etapa anterior.

Etapa	Número de nuevos triángulos que apuntan hacia arriba	
0	1	
1	3	(3 es 3 veces 1.)
2	9	(9 es 3 veces 3.)
3	27	(27 es 3 veces 9.)
4	81	(81 es 3 veces 27.)

Si continuamos con este patrón, el número de nuevos triángulos en la Etapa 5 es 3 · 81 ó 243, el número en la Etapa 6 es 3 · 243 ó 729, y el número en la Etapa 7 es 3 · 729 ó 2187.

Para hallar el número de nuevos triángulos que apuntan hacia arriba en la Etapa 15, puedes continuar multiplicando por 3 para hallar el número de triángulos en las Etapas 8, 9, 10, y así hasta la Etapa 15. O puedes usar el siguiente patrón:

Número en Etapa 1 = 3   (un 3)

Número en Etapa 2 = 3 · 3   (producto de dos 3)

Número en Etapa 3 = 3 · 3 · 3   (producto de tres 3)

Número en Etapa 4 = 3 · 3 · 3 · 3   (producto de cuatro 3)

.
.
.

(continúa)

Si continuamos con este patrón, el número de nuevos triángulos en la Etapa 15 es el producto de quince 3: $3 \cdot 3 \cdot 3 \cdot 3 \cdot 3 \cdot 3 \cdot 3 \cdot 3 \cdot 3 \cdot 3 \cdot 3 \cdot 3 \cdot 3 \cdot 3 \cdot 3 =$ 14,348,907.

EJEMPLO

Describe cómo el número de cuadrados blancos está creciendo en el siguiente diseño fractal.

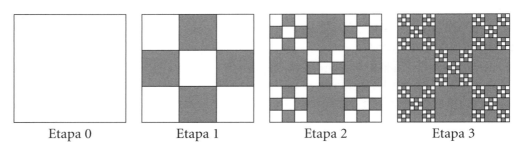

| Etapa 0 | Etapa 1 | Etapa 2 | Etapa 3 |

▶ **Solución**

Estudia cómo cambia el diseño de una etapa a la siguiente. La regla recursiva es: "En cada etapa, crea un patrón de tablero 3 por 3 (con los cuadrados blancos en las esquinas) en cada cuadrado blanco de la etapa anterior". Observa que cada patrón de tablero contiene cinco cuadrados blancos.

La Etapa 1 tiene cinco cuadrados blancos. En la Etapa 2 se crean cinco cuadrados blancos dentro de cada cuadrado blanco de la Etapa 1, para un total de $5 \cdot 5$ ó 25 cuadrados blancos. En la Etapa 3, se crean cinco cuadrados blancos en cada uno de los 25 cuadrados de la Etapa 2, para un total de $5 \cdot 25$ ó 125 cuadrados blancos.

Puedes mostrar los resultados en una tabla.

	Número de cuadrados blancos		
Etapa	**Total**	**Multiplicación repetida**	**Forma con exponente**
1	5	5	5^1
2	25	$5 \cdot 5$	5^2
3	125	$5 \cdot 25$ ó $5 \cdot 5 \cdot 5$	5^3

En la última columna, los números pequeños y elevados, conocidos como **exponentes,** te dicen cúantos 5 se multiplican.

Observa que para cada etapa, el exponente es igual al número de etapa. Puedes utilizar esta idea para hallar el número de cuadrados blancos en cada etapa. Por ejemplo, en la Etapa 4 el número de cuadrados blancos es 5^4 ó 625, y el número en la Etapa 10 es 5^{10} ó 9,765,625. Para ver si este patrón funciona para la Etapa 0, introduce 5^0 en tu calculadora. (Consulta **Calculator Note 0B** para aprender cómo escribir los exponentes.) El resultado es 1, que es el número de cuadrados blancos en la Etapa 0. Esto concuerda con el patrón.

Más corto pero más largo

En esta lección

- encontrarás una **regla recursiva** para generar un diseño fractal
- usarás **fracciones** para expresar la longitud de segmentos en diferentes etapas del diseño fractal
- usarás **exponentes** para describir una regla con que se calcula la longitud total de cualquier etapa del diseño fractal
- usarás una calculadora para **convertir fracciones a números decimales**

Investigación: ¿Qué longitud tiene este fractal?

La *curva de Koch* es un fractal creado a partir de segmentos de recta. Piensa en cómo cambia la "curva" de una etapa a la siguiente.

1	$\frac{1}{3}$ $\frac{1}{3}$ $\frac{1}{3}$ $\frac{1}{3}$	
Etapa 0	Etapa 1	Etapa 2

Para descubrir la regla recursiva que rige en la creación del diseño, estudia lo que sucede de la Etapa 0 a la Etapa 1.

Una posible regla recursiva es: "Para obtener la siguiente etapa, divide cada segmento de la etapa anterior en tres partes y construye un triángulo equilátero sobre el tercio de en medio. Luego elimina la parte inferior de cada triángulo".

Puedes hacer una tabla para mostrar cómo cambia la "curva" de etapa a etapa. Observa que el número de segmentos en cada etapa es 4 veces el número de segmentos de la etapa anterior y que la longitud de cada segmento es $\frac{1}{3}$ de la longitud de los segmentos de la etapa anterior.

Etapa	Número de segmentos	Longitud de cada segmento	Longitud total (Número de segmentos por longitud de los segmentos)	
			Forma de fracción	Forma decimal (redondeada)
0	1	1	1	1
1	4	$\frac{1}{3}$	$4 \cdot \frac{1}{3} = \frac{4}{3}$	1.3
2	$4 \cdot 4 = 4^2 = 16$	$\frac{1}{3} \cdot \frac{1}{3} = \left(\frac{1}{3}\right)^2 = \frac{1}{9}$	$4^2 \cdot \left(\frac{1}{3}\right)^2 = \left(\frac{4}{3}\right)^2 = \frac{16}{9}$	1.8

Si continúas con el patrón de la tabla, verás que la Etapa 3 tiene $4 \cdot 4 \cdot 4$ ó 4^3 segmentos y que la longitud de cada segmento es $\frac{1}{3} \cdot \frac{1}{3} \cdot \frac{1}{3}$ ó $\left(\frac{1}{3}\right)^3$. De modo que la longitud total de la figura de la Etapa 3 es $4^3 \cdot \left(\frac{1}{3}\right)^3$, que se puede escribir como $\left(\frac{4}{3}\right)^3$. Esto se simplifica como $\frac{64}{27}$, ó aproximadamente 2.37.

Etapa 3

(continúa)

Observa que, cuando escribes la longitud total de una etapa usando exponentes, el exponente es igual al número de la etapa. De modo que la longitud total de la figura de la Etapa 4 es $\left(\frac{4}{3}\right)^4$, que se simplifica como $\frac{256}{81}$, ó aproximadamente 3.16.

EJEMPLO

Observa las etapas iniciales de este fractal:

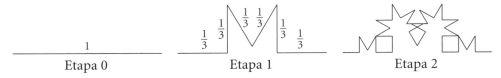

Etapa 0   Etapa 1   Etapa 2

a. Describe la regla recursiva del fractal.

b. Encuentra su longitud en la Etapa 2.

c. Escribe una expresión para su longitud en la Etapa 23.

▶ **Solución**

a. Para encontrar la regla recursiva, considera cómo cambia el fractal de la Etapa 0 a la Etapa 1. La regla es "Para obtener la siguiente etapa, divide cada segmento de la etapa anterior en tres partes. Luego sustituye la parte de en medio con una M hecha de segmentos cuya longitud es $\frac{1}{3}$ de la longitud de los segmentos de la etapa anterior".

b. Para hallar la longitud del fractal en la Etapa 2, mira primero su longitud en la Etapa 1. La figura de la Etapa 1 tiene seis segmentos de longitud $\frac{1}{3}$. Cada segmento de la Etapa 2 es sustituido por seis nuevos segmentos, de modo que la figura de la Etapa 2 tiene $6 \cdot 6$ ó 6^2 segmentos. Cada segmento de la Etapa 2 es $\frac{1}{3}$ de la longitud de los segmentos de la Etapa 1, así que cada segmento de la Etapa 2 tiene una longitud de $\frac{1}{3} \cdot \frac{1}{3}$ ó $\left(\frac{1}{3}\right)^2$. La longitud total en la Etapa 2 es $6^2 \cdot \left(\frac{1}{3}\right)^2$, que se puede escribir como $\left(\frac{6}{3}\right)^2$ ó 2^2. De manera que la longitud total es 4.

c. En cada etapa, cada segmento de la etapa anterior es sustituido por seis nuevos segmentos. La longitud de cada nuevo segmento es $\frac{1}{3}$ de la longitud del segmento de la etapa anterior. En la Etapa 23, este proceso se ha hecho 23 veces. La figura de la Etapa 23 tiene una longitud de $6^{23} \cdot \left(\frac{1}{3}\right)^{23}$ ó $\left(\frac{6}{3}\right)^{23}$ ó 2^{23}.

¿Vas a algún lado?

En esta lección

- repasarás operaciones con **números enteros**
- usarás un proceso recursivo para **evaluar expresiones**
- usarás una calculadora para evaluar expresiones
- identificarás los **atractores** de las expresiones

Investigación: Una extraña atracción

Has visto cómo se puede usar la recursión para crear diseños fractales. En esta investigación verás unos procesos recursivos que implican el uso de expresiones numéricas.

Pasos 1–5 Por ejemplo, considera esta expresión.

$$-2 \cdot \square + 3$$

Comienza con cualquier número, colócalo en la caja vacía y haz las operaciones. Por ejemplo, si empiezas con cero, el resultado es:

$$-2 \cdot (0) + 3 = 0 + 3 = 3$$

Ahora toma el resultado, 3, y colócalo en la caja de la expresión original.

$$-2 \cdot (3) + 3 = -6 + 3 = -3$$

Puedes continuar con este proceso, cada vez usando el resultado de la etapa anterior. He aquí los resultados para las primeras 10 etapas.

Pasos 6–9 Puedes trazar una recta numérica para mostrar cómo cambian los valores de la expresión en cada etapa. El diagrama siguiente muestra los resultados de las Etapas 0–5:

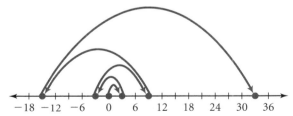

Expresión original: $-2 \cdot \square + 3$ Número original (en la Etapa 0): 0		
Etapa	Expresión	Resultado
1	$-2 \cdot 0 + 3$	3
2	$-2 \cdot 3 + 3$	-3
3	$-2 \cdot -3 + 3$	9
4	$-2 \cdot 9 + 3$	-15
5	$-2 \cdot -15 + 3$	33
6	$-2 \cdot 33 + 3$	-63
7	$-2 \cdot -63 + 3$	129
8	$-2 \cdot 129 + 3$	-255
9	$-2 \cdot -255 + 3$	513
10	$-2 \cdot 513 + 3$	-1023

Ahora intenta evaluar $-2 \cdot \square + 3$ de manera recursiva para un valor inicial diferente. Cuando evalúes $-2 \cdot \square + 3$ de manera recursiva, los resultados cada vez quedan más apartados. Para algunas expresiones, sin importar con qué valor empieces, los resultados se acercan cada vez más a un número particular.

(continúa)

Lección 0.4 • ¿Vas a algún lado? (continuación)

EJEMPLO

¿Qué sucede cuando evalúas está expresión de manera recursiva con diferentes números iniciales?

$$0.5 \cdot \square - 3$$

▶ **Solución**

Veamos qué sucede para un par de números iniciales diferentes.

En ambos casos, los resultados parecen acercarse a un número, tal vez -6. Si los resultados se acercan cada vez más a -6, sin importar cuál haya sido el número inicial, entonces -6 es un **atractor** para la expresión.

Para verificar si -6 es un atractor, úsalo como el número inicial. Si el resultado se queda en -6, entonces es un atractor.

$$0.5 \cdot (-6) - 3 = -3 - 3 = -6$$

Como obtuviste exactamente el número con el que empezaste, -6 es un atractor para la expresión $0.5 \cdot \square - 3$.

Número inicial: 4

$$0.5 \cdot (4) - 3 = 2 - 3 = -1$$
$$0.5 \cdot (-1) - 3 = -0.5 - 3 = -3.5$$
$$0.5 \cdot (-3.5) - 3 = -1.75 - 3 = -4.75$$
$$0.5 \cdot (-4.75) - 3 = -2.375 - 3 = -5.375$$
$$0.5 \cdot (-5.375) - 3 = -2.6875 - 3 = -5.6875$$
$$0.5 \cdot (-5.6875) - 3 = -2.84375 - 3 = -5.84375$$

Número inicial: -10

$$0.5 \cdot (-10) - 3 = -5 - 3 = -8$$
$$0.5 \cdot (-8) - 3 = -4 - 3 = -7$$
$$0.5 \cdot (-7) - 3 = -3.5 - 3 = -6.5$$
$$0.5 \cdot (-6.5) - 3 = -3.25 - 3 = -6.25$$
$$0.5 \cdot (-6.25) - 3 = -3.125 - 3 = -6.125$$
$$0.5 \cdot (-6.125) - 3 = -3.0625 - 3 = -6.0625$$

Como has visto, no todas las expresiones tienen un atractor. Otras expresiones tienen atractores que son difíciles o imposibles de hallar. Con la práctica, podrás ser capaz de predecir los atractores para algunas expresiones sencillas, sin que tengas que hacer ningún cálculo.

Orden en el caos

En esta lección

- repasarás cómo medir distancias y cómo encontrar fracciones de distancias
- usarás un proceso caótico para crear un patrón a mano
- usarás un proceso caótico para crear un patrón con la calculadora

Investigación: ¿Un patrón caótico?

Cuando lanzas un dado, los resultados son **aleatorios** (*random*). Si observaras los resultados de muchos lanzamientos, no esperarías ver un patrón que te permita predecir exactamente cuándo y con qué frecuencia un número particular aparecerá. Sin embargo, como verás, algunas veces un proceso aleatorio, como lanzar un dado, puede usarse para generar un resultado ordenado.

Pasos 1–9 Supón que empiezas con este triángulo y eliges un punto inicial en cualquier lugar dentro del triángulo.

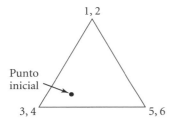

Después lanzas un dado y marcas el punto que está a la mitad de la distancia entre el punto inicial y el **vértice** rotulado con el número obtenido en el dado. Por ejemplo, si obtienes un 2, marcarías el punto que está a la mitad de la distancia entre el punto inicial y el vértice superior. Este punto se convierte en el punto inicial para la siguiente etapa.

Lanza el dado de nuevo y marca el punto que está a la mitad de la distancia entre el nuevo punto inicial y el vértice rotulado con el número del dado.

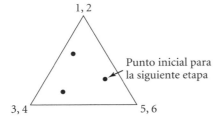

(continúa)

Si repites este proceso muchas veces, emergerá un interesante patrón.

Lanzar el dado y marcar los puntos a mano lleva mucho tiempo. Afortunadamente, tu calculadora puede hacer el mismo proceso mucho más rápido. El programa Chaos elige un punto inicial y sigue el procedimiento descrito anteriormente para graficar o marcar 1000 puntos.

Pasos 10–12 Intenta correr el programa en tu calculadora. Tomará un rato para que la calculadora grafique todos los puntos, así que ten paciencia.

Cuando el programa termine, verás en la pantalla este conocido patrón.

¡El patrón de puntos se parece al triángulo de Sierpiński!

Los matemáticos usan la palabra *caótico* para describir un procedimiento ordenado que produce un resultado que parece aleatorio. En este caso empezamos con un procedimiento aleatorio que produce un resultado que parece ordenado. El resultado ordenado se conoce como *atractor extraño*. Independientemente del punto inicial que escojas, los puntos "caerán" en la forma. Muchos diseños fractales, como el triángulo de Sierpiński, son atractores extraños. Mediciones exactas son necesarias para ver una forma de atractor extraño.

EJEMPLO

Localiza el punto *F* a tres quintos de la distancia de *D* a *E*. Da la distancia de *D* a *F* en centímetros.

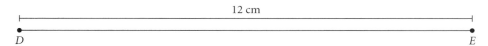

Ten una regla a mano, para verificar las mediciones. Usa la calculadora para verificar los cálculos.

▶ Solución

La medición del segmento *DE* muestra que tiene aproximadamente 12 cm de longitud. Tres quintos de 12 es $\frac{3}{5} \cdot 12$, que puedes escribir como $\frac{36}{5}$ ó 7.2. Coloca el punto *F* a 7.2 cm del punto *D*.

LECCIÓN CONDENSADA 1.1

Diagrama de barras y gráficas de puntos

En esta lección

- **interpretarás y crearás** diferentes gráficos
- encontrarás algunos **valores sumarios** de un conjunto de datos
- **llegarás a conclusiones** con respecto a un conjunto de datos, basándote en gráficos y valores sumarios

Este **pictograma** muestra el número de mascotas de diferentes tipos que fueron atendidas en el hospital de animales Uptown en una semana.

A la información específica, como el número de mascotas de cada tipo, se le conoce como **datos.** A menudo puedes presentar los datos en tablas y gráficos.

Mascotas atendidas en una semana

= 2 mascotas

EJEMPLO   Crea una tabla de datos y un **diagrama de barras** a partir del pictograma anterior.

▶ **Solución**   Esta tabla muestra el número de mascotas de cada tipo. Recuerda que cada símbolo del pictograma representa dos mascotas.

Mascotas atendidas en una semana

Perros	Gatos	Hurones	Pájaros	Hámsters	Lagartos
17	12	8	5	4	2

El diagrama de barras muestra los mismos datos. La altura de una barra muestra el total de esa **categoría,** en este caso, un tipo particular de mascota. Puedes usar la *escala* del *eje vertical* para medir la altura de cada barra.

Mascotas atendidas en una semana

Los diagramas de barras reúnen los datos en categorías, lo que permite comparar valores de cada categoría rápidamente.

Una **gráfica de puntos** muestra cada elemento de un conjunto de datos *numéricos* por encima de una *recta numérica,* o *eje horizontal.* Las gráficas de puntos facilitan ver los espacios vacíos y los agrupamientos en un conjunto de datos, así como la manera en que se **distribuyen** los datos a lo largo del eje.

Investigación: Una mirada al pulso sanguíneo

En esta investigación se usan datos sobre rapidez de pulso. El pulso varía de una persona a otra, pero por lo general, el pulso de una persona saludable en reposo se mantiene entre ciertos valores. Una persona con un pulso muy rapido o muy lento podría necesitar atención médica.

(continúa)

Este conjunto de datos refleja los pulsos, expresados en pulsaciones por minuto (ppm), de un grupo de 30 estudiantes.

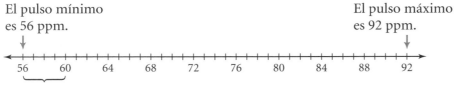

Para este conjunto de datos, el valor **mínimo** (más bajo) es 56 y el valor **máximo** (más alto) es 92. El mínimo y el máximo describen la dispersión de los datos. Por ejemplo, podrías decir: "los pulsos se encuentran entre 56 y 92 ppm". Sobre la base de estos datos solamente, parece que un pulso de 80 ppm sería "normal", mientras que un pulso de 36 ppm sería demasiado bajo.

Para hacer una gráfica de puntos sobre los pulsos, primero traza una recta numérica con el valor mínimo, 56, en el extremo izquierdo. Selecciona una escala y marca **intervalos** iguales hasta que alcances un valor máximo de 92.

El pulso mínimo
es 56 ppm.

El pulso máximo
es 92 ppm.

Cada intervalo de 4 ppm
tiene la misma longitud.

Por cada valor del conjunto de datos, coloca un punto sobre el valor en la recta numérica. Cuando un valor aparece más de una vez, apila los puntos. Por ejemplo, el valor 64 aparece tres veces en el conjunto de datos, de modo que hay tres puntos encima de 64. Asegúrate de rotular el eje de manera que quede claro cuáles son los datos.

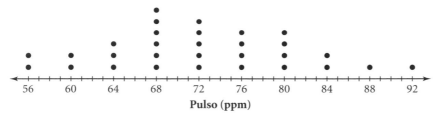

Pulso (ppm)

El **rango** del conjunto de datos es la *diferencia* entre los valores máximo y mínimo. Para estos datos, el rango es 92–56, ó 36 ppm. Observa que el rango no te dice nada sobre los valores reales del conjunto de datos. Si un paramédico te dice que los pulsos normales tienen un rango de 12, esto no te dice nada sobre los valores mínimo y máximo ni sobre cualquier valor que esté entre estos dos.

Al observar la gráfica de puntos, puedes ver que hay unos cuantos valores cerca del máximo y del mínimo, pero la mayoría de los valores se agrupan entre 64 y 80. El valor 68 es el que más se presenta, seguido por 72. Esta información te da idea de qué es un pulso normal para esta clase, pero no se puede usar para determinar cuál es el pulso "normal" para todas las personas. Hay muchos factores, incluida la edad, que afectan la rapidez de pulso.

Estadística en una palabra que usamos de muchas maneras. A menudo se le usa para referirse a números que describen o resumen datos. Por ejemplo, podrías recabar datos sobre el pulso de miles de personas y luego determinar un solo valor que se puede considerar "normal". Este valor también se llama estadística.

Resumen de datos con medidas centrales

En esta lección

- encontrarás **medidas centrales** para un conjunto de datos
- elegirás la **medida central más significativa** para una situación
- observarás la influencia de los **externos** sobre la **media** de un conjunto de datos

Lee las afirmaciones que están al inicio de la lección. Cada afirmación utiliza un solo número, conocido como **medida central,** para describir lo que es típico con respecto al conjunto de datos. En la primera afirmación se utiliza la **media,** o promedio. En la segunda se usa la **mediana,** o valor de en medio. En la tercera se usa la **moda,** o el valor más frecuente.

Investigación: Entender el centro

Puedes usar esta colección de *pennies* (monedas de un centavo) para ayudarte a entender la media, la mediana, y la moda.

Para encontrar la mediana, ordena los pennies del más viejo al más nuevo.

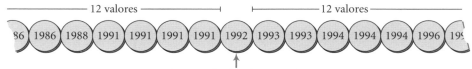

La mediana es el valor de en medio, 1992.

Para encontrar la moda, apila los pennies con el mismo año de acuñación.

La moda es el año que tiene la pila más alta, 1991.

Para encontrar la media, suma los años de acuñación de todos los pennies y divide el resultado entre el número de pennies.

$$\text{media} = \frac{suma\ de\ años}{numero\ de\ pennies} = \frac{49{,}767}{25} = 1990.68.\ \text{Puedes redondear a 1991.}$$

He aquí una gráfica de puntos de los años de acuñación con la mediana, la moda, y la media rotuladas.

(continúa)

Ahora introduce los datos de los pennies en una lista de calculadora y usa la calculadora para encontrar la media y la mediana. (Consulta **Calculator Notes 1A** y **1B.** Consulta **Calculator Note 1J** para verificar las especificaciones de tu calculadora.)

Lee la descripción de las medidas centrales de la página 45 de tu libro. La media y la mediana de un conjunto de datos pueden ser muy diferentes; y es posible que la moda, si existe, no sea de utilidad. Necesitarás decidir qué medida es más significativa para una situación dada.

EJEMPLO

Este conjunto de datos muestra el número de videos rentados diariamente en un centro de videos durante 14 días. {54, 75, 2, 68, 49, 53, 5, 63, 54, 70, 65, 68, 71, 60}

a. Encuentra las medidas centrales.

b. ¿Qué medida representa mejor los datos?

▶ **Solución**

a. La media es de aproximadamente 54 videos.

$$\overbrace{\frac{54 + 75 + 2 + 68 + 49 + 53 + 5 + 63 + 54 + 70 + 65 + 68 + 71 + 60}{14}}^{\text{Suma de los valores}} \approx 54$$

Número de valores   media

Puesto que hay un número par de datos, la mediana es el número que está a la mitad entre los dos valores de en medio. En este caso, la mediana es 61.5.

Valores ordenados

2, 5, 49, 53, 54, 54, 60, 63, 65, 68, 68, 70, 71, 75

La mediana es el valor que está a la mitad entre 60 y 63.

Estos datos son **bimodales,** es decir, tienen dos modas, 54 y 68.

b. Para determinar qué medida representa mejor los datos, busca patrones en los datos y considera la forma de la gráfica.

Excepto por dos valores (2 y 5), los datos se agrupan entre 49 y 75. Debido a los valores 2 y 5, conocidos como **externos** (*outliers*), la media, 54, se encuentra a la izquierda, lejos de la mayoría de los valores. En este caso la media no es la mejor medida central. Una moda es la misma que la media. La otra es demasiado grande. La mediana, 61.5, parece resumir mejor los datos.

En el ejemplo de tu libro, los externos son mucho más grandes que el resto de los datos. Estos valores suben la media. Usar la media para describir datos que incluyen externos puede conducir a conclusiones erróneas. Entonces, necesitas tener cuidado cuando leas propaganda e informes que dan medidas centrales.

©2004 Key Curriculum Press

Resúmenes de cinco números y gráficas de caja

En esta lección

- encontrarás **resúmenes de cinco números** para conjuntos de datos
- interpretarás y crearás **gráficas de caja**
- obtendrás conclusiones con respecto a un conjunto de datos basado en gráficos y en valores sumarios
- usarás una calculadora para hacer una gráfica de caja

La tabla de la página 50 de tu libro muestra el número total de puntos obtenidos por cada jugador del equipo Chicago Bulls durante la temporada 1997–98 de la NBA.

El **resumen de cinco números** puede darte un buen panorama de cómo los Bulls se desempeñaron como equipo. Un resumen de cinco números usa cinco puntos frontera: el mínimo y el máximo, la mediana (que divide los datos en dos), el **primer cuartil** (la mediana de la primera mitad), y el **tercer cuartil** (la mediana de la segunda mitad).

El primer cuartil (Q1), la mediana, y el tercer cuartil (Q3) dividen los datos en cuatro grupos iguales. El ejemplo de tu libro ilustra cómo encontrar el resumen de cinco números.

Una **gráfica de caja,** o **gráfica de caja y bigotes,** es una manera visual de mostrar el resumen de cinco números. Esta gráfica de caja muestra el rango de los datos del puntaje de los Bulls. Observa cómo el resumen de cinco números se muestra en la gráfica.

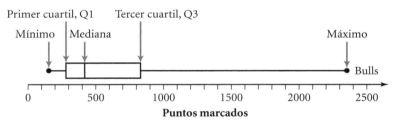

A pesar de que las cuatro secciones de la gráfica (los dos bigotes y las dos partes de la caja) tienen longitudes diferentes, cada una representa $\frac{1}{4}$ de los datos. Así pues, por ejemplo, el bigote largo de la derecha representa el mismo número de datos que el bigote corto de la izquierda. Observa que la mayoría de los valores están concentrados en la parte izquierda de la gráfica. El bigote largo que ocupa la mayor parte de la gráfica representa sólo $\frac{1}{4}$ de los valores (incluyendo los de Michael Jordan).

Investigación: Pennies en un caja

En esta investigación, harás una gráfica de caja a partir de los datos sobre los pennies de la Lección 1.2.

(continúa)

Lección 1.3 • Resúmenes de cinco números y gráficas de caja (continuación)

Pasos 1–6 Primero necesitas listar los valores en orden y encontrar el resumen de cinco números. Aquí se ve una muestra de datos en la que están marcados el mínimo, el máximo, la mediana, y los cuartiles. Te conviene seguir los pasos con los datos de la Lección 1.2.

El primer cuartil es 1986.5, la mediana de la primera mitad.

Mínimo

Primera mitad → 1973 1977 1980 1982 1984 1986 1986 1988 1991 1991 1991 1991
de los datos

Mediana → 1992

Segunda mitad → 1993 1993 1994 1994 1994 1996 1997 1998 1998 1999 1999 2000
de los datos

El tercer cuartil es 1996.5, la mediana de la segunda mitad.

Máximo

Para construir una gráfica de caja, traza el eje horizontal (puedes usar la misma escala que utilizaste para la gráfica de puntos de la Lección 1.2). Traza un segmento corto vertical, justo encima del valor de la mediana. Haz lo mismo para el primer y tercer cuartiles. Después traza puntos sobre los valores mínimo y máximo.

Para terminar la gráfica, traza una "caja" con sus extremos en el primer y tercer cuartiles, y traza "bigotes" que se extiendan de los extremos de la caja hasta los valores mínimo y máximo.

Compara la gráfica de caja con una gráfica de puntos de los mismos datos.

Ambas gráficas muestran que la mayoría de los valores son mayores que 1986. La gráfica de caja hace más fácil localizar el resumen de cinco números, pero, a diferencia de la gráfica de puntos, no muestra valores individuales ni cuántos valores existen. Si es importante ver el valor de cada dato, entonces una gráfica de caja no es la mejor manera de presentar los datos.

Recuerda que cada una de las cuatro secciones de una gráfica de caja (los dos bigotes y las dos partes de la caja) representa aproximadamente el mismo número de datos. La gráfica de caja muestra que $\frac{3}{4}$ de los años de acuñación están entre 1986 y 2000, mientras que sólo $\frac{1}{4}$ están entre 1973 y 1986.

(continúa)

Lección 1.3 • Resúmenes de cinco números y gráficas de caja (continuación)

Pasos 7–9   Borra los datos viejos de tu calculadora e introduce los años de acuñación en la lista L1. Traza una gráfica de caja en la calculadora (consulta **Calculator Note 1C**). Compara la gráfica de tu calculadora con la que mostramos en la página 16. Si utilizas la función *trace,* puedes ver el resumen de cinco números de los datos.

Paso 10   La diferencia entre el primer cuartil y el tercero es el rango **intercuartil** (*interquartile range,* abreviado *IQR*). Al igual que el rango, el rango intercuartil ayuda a describir la dispersión de los datos. Para los datos de la muestra de pennies anterior, el rango es $2000 - 1973$ ó 27, y el rango intercuartil es $1996.5 - 1986$ ó 10.5.

Puedes comparar dos conjuntos de datos si construyes dos gráficas de caja en el mismo eje. Las gráficas de caja de la página 52 de tu libro resumen los resultados del examen final de dos clases de álgebra. Puedes ver que la Clase A tiene el mayor rango de resultados y el mayor IQR. En ambos grupos, la mitad de los estudiantes obtuvieron resultados superiores a 80. En la Clase B, todos los estudiantes obtuvieron resultados superiores a 65, mientras que en la Clase A, menos de tres cuartos de los estudiantes obtuvieron resultados superiores a 65.

Histogramas y gráficas de tallo y hojas

En esta lección

- interpretarás y crearás **histogramas**
- interpretarás **gráficas de tallo y hojas**
- elegirás anchos de **caja** (*bin*) apropiados para los histogramas
- usarás una calculadora para hacer histogramas

Una gráfica de puntos incluye un punto por cada valor del conjunto de datos. Si éste contiene un número grande de valores, es posible que la gráfica de puntos no sea práctica. Un histograma está relacionado con una gráfica de puntos, pero es más útil cuando tienes un conjunto grande de datos. Lee la información sobre histogramas en la página 57 de tu libro. Observa cómo el ancho de la caja (bin width) escogido para el histograma afecta la apariencia del diagrama.

Investigación: Cuartas

Una cuarta es la distancia que va desde la punta de tu dedo pulgar hasta la punta de tu dedo meñique cuando extiendes la mano completamente.

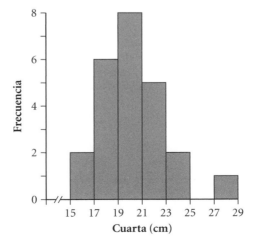

Cuarta

Pasos 1–6 A continuación presentamos medidas de cuartas, redondeadas al medio centímetro más cercano, de los estudiantes de una clase de álgebra.

19   18.5   20.5   21.5   18.5   17.5   22   22.5   19.5   20   24   18

16.5   28   19   20   20.5   24   15   17   19   18   21   21

Para construir un histograma de estos datos, hay que escoger un ancho de caja. Como regla general, intenta elegir un intervalo que te dé de 5 a 10 cajas. Para estos datos, el rango es 28 − 15 ó 13. Si tomas un ancho de caja de 2, tendrás 7 cajas.

Ahora encuentra el número de valores de datos de cada caja. Estos valores se conocen como **frecuencias.** Observa que una caja contiene el valor frontera de la izquierda, pero no el valor de la derecha. Así pues, la caja que va de 17 a 19 incluye los valores 17, 17.5, 18, y 18.5, pero *no* incluye 19. El valor 19 pertenece a la caja que va de 19 a 21.

Caja	15 a 17	17 a 19	19 a 21	21 a 23	23 a 25	25 a 27	27 a 29
Frecuencia	2	6	8	5	2	0	1

Ahora dibuja los ejes. Presenta la escala del eje horizontal de modo que muestres valores de cuartas desde 15 hasta 29, en intervalos de 2. Presenta la escala del eje vertical de modo que muestres valores de frecuencia entre 0 y 8.

Finalmente, dibuja barras para mostrar los valores de frecuencia de tu tabla.

(continúa)

Pasos 7–9   Si introduces los datos sobre las cuartas en la lista L₁ de tu calculadora, puedes experimentar con diferentes anchos de caja. (Consulta **Calculator Note 1D** para obtener instrucciones sobre cómo crear histogramas.) He aquí unos histogramas de los mismos datos con diferentes anchos de caja.

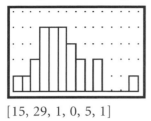   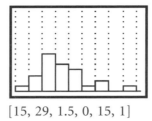   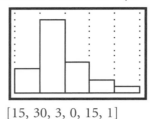

[15, 29, 1, 0, 5, 1]   [15, 29, 1.5, 0, 15, 1]   [15, 30, 3, 0, 15, 1]

Para estos datos, una caja del ancho 1.5 ó 2 funciona bien. Ambos anchos de caja dan un buen panorama de cómo están distribuidos los valores, y indican dónde los valores están agrupados y dónde hay un espacio vacío entre los valores. Un ancho de caja de 1 muestra espacios vacíos adicionales pero tiene muchas barras. Con un ancho de caja de 3, hay insuficientes barras para obtener un buen panorama de la distribución, y el espacio vacío de la derecha queda oculto.

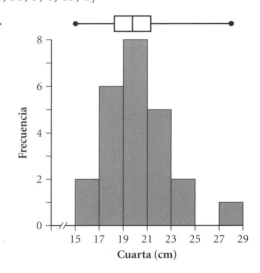

A la derecha se ha dibujado una gráfica de caja en los mismos ejes que el histograma. A diferencia del histograma, la gráfica de caja no muestra el espacio vacío en los datos y no da ninguna indicación de cuántos valores hay en cada intervalo.

Al igual que el histograma, una gráfica de tallo, o gráfica de tallo y hojas, agrupa los valores de datos en intervalos. Sin embargo, una gráfica de este tipo muestra cada dato individual. Por esta razón, las gráficas de tallo son más útiles cuando se tienen conjuntos de datos bastante pequeños. Estudia la gráfica de tallo de la página 59 de tu libro. Asegúrate de entender cómo leer los valores.

El ejemplo de la página 60 de tu libro muestra cómo usar los datos de una gráfica de tallo para crear un histograma. Los valores en la gráfica son años; los valores del tallo muestran los primeros tres dígitos del año y las hojas muestran el último digito. Así, por ejemplo, los valores que están a continuación del tallo 184 representa los años 1840, 1841, 1843, y 1848.

Lee el ejemplo para ver cómo se crea el histograma. Después introduce los datos en tu calculadora y experimenta con diferentes anchos de caja. He aquí algunas posibilidades.

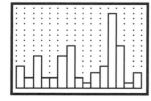   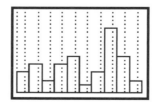   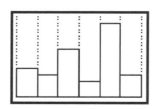

Piensa en cuáles son los anchos de caja que muestran mejor la dispersión y la distribución de los valores.

Discovering Algebra Condensed Lessons in Spanish
©2004 Key Curriculum Press

1.6 Datos de dos variables

En esta lección

- practicarás la graficación de puntos en un **plano de coordenadas**
- crearás una **gráfica de dispersión**
- **buscarás una relación** entre dos variables basándote en un gráfico
- usarás tu calculadora para crear una gráfica de dispersión

Una **variable** es una cantidad, como un pulso o un año de acuñación, cuyo valor puede variar. Hasta este momento has trabajado con **datos de una variable.** Has utilizado gráficas de puntos, gráficas de caja, histogramas, y gráficas de tallo para presentar datos de una variable.

A menudo es interesante observar información sobre *dos* variables para intentar descubrir una relación. Por ejemplo, puedes reunir datos sobre estatura y número de calzado para ver si las personas más altas tienden a tener pies más grandes que la gente baja. Hacer una **gráfica de dispersión** es una buena manera de buscar una relación en **datos de dos variables.** Lee la información sobre gráficas de dos variables en la página 67 de tu libro.

Investigación: Arrinconado

Esta investigación implica la recolección y la graficación de datos de dos variables.

Pasos 1–4 Para recolectar los datos, pega dos reglas en la mesa con cinta adhesiva de modo que formen un ángulo. A continuación mide el diámetro de un objeto circular. Después coloca el objeto entre las reglas de modo que se ajuste exactamente entre ellas, y mide la distancia del vértice del ángulo al punto en donde el objeto toca a la regla.

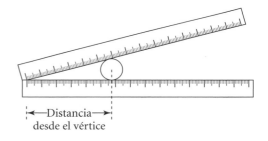

←Distancia→
desde el vértice

He aquí algunos datos para esta actividad.

Diámetro (cm)	4.6	6.7	1.9	4.0	7.3	3.1	2.4	5.5
Distancia desde el vértice (cm)	9.6	14.2	3.7	8.8	15.7	6.4	5.4	11.5

Pasos 5–7 Para ver si hay una relación entre las variables *diámetro* y *distancia desde el vértice,* construye una gráfica de dispersión. Antes de graficar los datos, establece los ejes y su escala, de modo que se acomoden todos los valores.

Puedes poner cualquiera de las variables en cualquiera de los ejes. En la gráfica a continuación, los valores de diámetro están en el eje *x* y los de la distancia desde el vértice en el eje *y.* El valor más grande del diámetro es 7.3, y la mayor distancia desde el vértice es 15.7. Si haces que cada marca del eje *x* represente 0.5 cm y cada marca del eje *y* represente 1 cm, todos los valores entrarán en una cuadrícula de 16 por 16. Asegúrate de rotular los ejes con los nombres de las variables.

(continúa)

Para graficar los datos, piensa en cada columna como un par ordenado. Por ejemplo, para graficar la primera columna de valores, grafica el punto (4.6, 9.6) desplazándote por el eje horizontal hasta 4.6 y luego hacia arriba, hasta que estés a la altura de 9.6. Abajo a la derecha está la gráfica de dispersión completa.

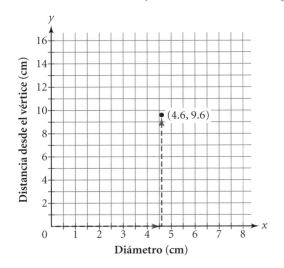

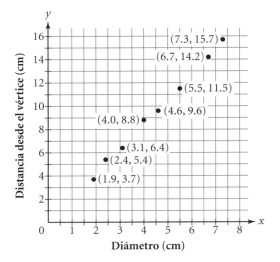

Pasos 8–9 Observa que los puntos forman un patrón de línea recta. La gráfica indica que cuánto más grande sea el diámetro de un objeto, mayor será su distancia desde el vértice.

Para construir una gráfica de dispersión en tu calculadora, necesitas introducir los datos en dos listas. Intenta hacer una gráfica de dispersión con los datos de la tabla anterior. (Consulta **Calculator Note 1E.**)

Revisa el ejemplo de la página 69 de tu libro. La gráfica del ejemplo, al igual que la creada en la investigación, es una **gráfica de primer cuadrante** porque todos los valores son positivos. En ocasiones entre los datos hay valores negativos y se requiere más de un cuadrante.

EJEMPLO Si haces cheques por más dinero del que tienes en tu cuenta, la cuenta tendrá un saldo negativo. La gráfica de la derecha muestra el saldo de una cuenta de cheques al final de cada día durante un periodo de cinco días. Describe el saldo de cada día.

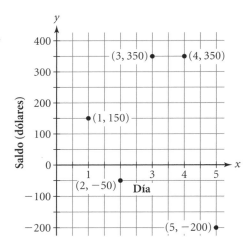

▶ **Solución** El punto (1, 150) muestra que el primer día el saldo fue de $150.

El punto (2, −50) muestra que el segundo día el saldo fue de −$50.

Los puntos (3, 350) y (4, 350) indican que los tercer y cuarto días el saldo fue de $350.

El punto (5, −200) significa que el quinto día el saldo fue de −$200.

LECCIÓN CONDENSADA 1.7 Estimación

En esta lección

- practicarás tus habilidades de **estimación**
- crearás una **gráfica de dispersión**
- **obtendrás conclusiones** sobre un conjunto de datos basándote en gráficas
- usarás tu calculadora para crear una gráfica de dispersión

En esta lección verás cómo usar una gráfica de dispersión para comparar valores estimados con valores reales.

Investigación: Estimación conjetural

Pasos 1–3 Para probar tus habilidades de estimación, puedes estimar la distancia desde un punto inicial a varios objetos, y después medir la distancia real. La tabla ofrece algunos datos de muestra. Tal vez quieras recolectar tus propios datos o sólo agregar algunos valores que tu hayas obtenido.

Descripción	Distancia real (m), x	Distancia estimada (m), y
Escritorio de Ted	1.86	1.75
Escritorio de Zoe	1.50	1.50
Pizarrón	4.32	3.80
Escritorio del profesor	1.85	2.00
Mosaico azul	0.57	0.50
Esquina del aula	4.87	4.50
Bote de basura	2.35	2.75
Lápiz de Jing	0.29	0.25
Librero	3.87	4.25

Pasos 4–5 Puedes hacer una gráfica de dispersión para comparar las distancias estimadas con las distancias reales. Primero establece los ejes. Coloca las distancias reales en el eje x y las estimadas en el eje y. Usa la *misma escala* en ambos ejes.

Grafica un punto por cada pareja de valores de la tabla, usando la distancia real como valor de x y la distancia estimada como valor de y. Por ejemplo, grafica el punto (4.32, 3.80) para representar los datos correspondientes al pizarrón. Aquí se presenta la gráfica completa.

Piensa en cómo se vería la gráfica si *todos* los valores estimados hubieran sido *los mismos* que las mediciones reales. Esto es, imagina que la gráfica tuviera los puntos (1.86, 1.86), (1.56, 1.56), (4.32, 4.32), etcétera. En este caso, los puntos caerían en una línea recta.

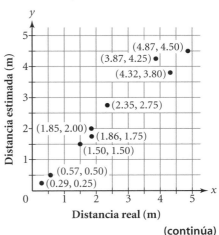

(continúa)

Pasos 6–9   Usa tu calculadora graficadora para hacer una gráfica de dispersión de los datos. Te mostramos cómo se vería la gráfica si utilizas la misma escala que en la gráfica anterior.

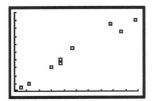

La recta $y = x$ representa todos los puntos para los cuales el valor y es igual al valor x. En este caso, representa todos los puntos para los cuales la distancia estimada es igual a la distancia real. Grafica la recta $y = x$ en la misma ventana que tu gráfica de dispersión. (Consulta **Calculator Note 1H** para construir una gráfica de dispersión y una ecuación de manera simultánea.)

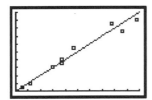

Los puntos que se encuentran más cercanos a la recta representan mejores estimaciones que los puntos más alejados de la recta. Usa la función *trace* para ver las coordenadas de los puntos. Observa que los puntos para los cuales la estimación es demasiado baja caen por debajo de la recta, y que los puntos para los que la estimación es demasiado alta caen por encima de la recta.

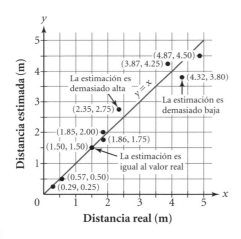

Discovering Algebra Condensed Lessons in Spanish
©2004 Key Curriculum Press

Uso de matrices para organizar y combinar datos

LECCIÓN CONDENSADA 1.8

En esta lección

- usarás **matrices** para organizar y combinar datos
- usarás tu calculadora para **efectuar operaciones con matrices**

En la tabla de la página 80 de tu libro, se muestra el número promedio de horas que la gente de diferentes países trabajó cada semana durante los años 1900 y 1998. Al igual que en una tabla, en una **matriz** se organizan los datos en filas y columnas. La matriz muestra los datos de las horas de trabajo.

$$[A] = \begin{bmatrix} 51.6 & 29.9 \\ 51.7 & 31.7 \\ 51.7 & 38.3 \\ 52.0 & 30.8 \\ 52.0 & 37.9 \\ 52.4 & 35.6 \end{bmatrix}$$

Esta matriz tiene las **dimensiones** 6 × 2, ya que tiene seis filas y dos columnas.

Trabaja el Ejemplo A de tu libro. En la parte c, la matriz de las horas de trabajo se multiplica por 50. Multiplicar una matriz por un número significa multiplicar cada entrada por dicho número. Así pues, para hallar 50 · [A], multiplica cada entrada de la matriz [A] por 50. Tu calculadora puede hacer todas las multiplicaciones en un solo paso.

Para sumar o restar dos matrices, suma o resta las entradas correspondientes. En el Ejemplo B se muestra cómo sumar dos matrices. Lee el ejemplo con cuidado y asegúrate de entenderlo. Para sumar o restar dos matrices, éstas deben tener las mismas dimensiones. Si las dimensiones son diferentes, no podrás hacer una correspondencia entre entradas para hacer las operaciones.

Ahora ya sabes cómo multiplicar una matriz por un número y cómo sumar o restar dos matrices. Como verás en la investigación, multiplicar dos matrices es más complicado.

Investigación: Multiplicación de la fila por la columna de dos matrices

Pasos 1–3 La tabla y la matriz muestran los precios de productos grandes en dos restaurantes.

Precios de productos grandes

	Pizza Palace	Tony's Pizzeria
Pizza grande	$11.40	$11.35
Ensalada grande	$3.35	$3.90
Bebida grande	$2.15	$2.10

$$[D] = \begin{bmatrix} 11.40 & 11.35 \\ 3.35 & 3.90 \\ 2.15 & 2.10 \end{bmatrix}$$

La primera columna de la matriz muestra los precios de Pizza Palace. Puedes encontrar el precio total de 4 pizzas grandes, 5 ensaladas grandes, y 10 bebidas grandes al multiplicar el número de elementos de cada producto por su precio.

Pizza   Ensalada   Bebida   Total

$4 \cdot 11.40 + 5 \cdot 3.35 + 10 \cdot 2.15 = 83.85$

Número   Precio   Número   Precio   Número   Precio   Precio

(continúa)

Pasos 4–13   La matriz fila [A] y la matriz columna [B] contienen toda la información que necesitas para calcular el precio total de la comida en Pizza Palace. La matriz [A] muestra el número de productos y la matriz [B] muestra los precios.

$$[A] = [4 \quad 5 \quad 10] \qquad [B] = \begin{bmatrix} 11.40 \\ 3.35 \\ 2.15 \end{bmatrix}$$

Introduce [A] y [B] en tu calculadora y encuentra su *producto*, [A] · [B], ó

$$[4 \quad 5 \quad 10] \cdot \begin{bmatrix} 11.40 \\ 3.35 \\ 2.15 \end{bmatrix}$$

(Consulta **Calculator Note 1P** para aprender cómo multiplicar matrices.) Debes obtener la matriz con dimensiones 1×1 [83.85]. La entrada de la matriz, 83.85, es el precio total que calculamos anteriormente. La calculadora multiplica cada entrada de la matriz fila por la entrada correspondiente de la matriz columna y suma los resultados. Éste es el mismo cálculo.

$$[4 \quad 5 \quad 10] \cdot \begin{bmatrix} 11.40 \\ 3.35 \\ 2.15 \end{bmatrix} = [4 \cdot 11.40 + 5 \cdot 3.35 + 10 \cdot 2.15] = [83.85]$$

Puedes encontrar el precio total de la comida en Tony's Pizzeria multiplicando las matrices siguientes. Multiplica las matrices en tu calculadora. Debes obtener [85.90].

$$[4 \quad 5 \quad 10] \cdot \begin{bmatrix} 11.35 \\ 3.90 \\ 2.10 \end{bmatrix}$$

Puedes hacer un cálculo matricial para encontrar el precio total para ambos restaurantes.

$$[4 \quad 5 \quad 10] \cdot \begin{bmatrix} 11.40 & 11.35 \\ 3.35 & 3.90 \\ 2.15 & 2.10 \end{bmatrix}$$

Haz este cálculo en tu calculadora. Debes obtener la matriz con dimensiones 2×1 [83.85   85.90]. Para obtener la primera entrada del producto, la calculadora multiplica la matriz fila por la primera columna. Para obtener la segunda entrada, la calculadora multiplica la matriz fila por la segunda columna. Si intentas multiplicar las matrices en el orden inverso, obtendrás un mensaje de error.

Para multiplicar dos matrices, el número de columnas de la primera matriz debe ser igual al número de filas de la segunda, ya que cada entrada de columna de la primera matriz se multiplica por la correspondiente entrada de fila de la segunda.

Trabaja el Ejemplo C de tu libro para obtener más práctica en la multiplicación de matrices.

Proporciones

En esta lección

- aprenderás varias maneras de escribir una **razón**
- aprenderás métodos para **resolver proporciones**
- resolverás problemas escribiendo y resolviendo proporciones

En la afirmación, "Jackie obtuvo 24 de los 64 puntos obtenidos por el equipo", se comparan dos números. La **razón** de los puntos obtenidos por Jackie a los puntos obtenidos por el equipo es 24 a 64. Puedes escribir la razón como 24 : 64, o como una fracción o un número decimal. La barra de fracción significa división, de modo que las siguientes expresiones son equivalentes:

$$\frac{24}{64} \qquad 24 \div 64 \qquad 0.375 \qquad \frac{3}{8}$$

Lee el Ejemplo A y el texto que sigue al inicio de la página 93 de tu libro. Asegúrate de que entiendes la diferencia entre un **decimal exacto** y un **decimal periódico.**

Una **proporción** es una ecuación que establece que dos razones son iguales. Aquí tenemos algunas proporciones verdaderas en las que se usan los números enteros 3, 5, 9, y 15.

$$\frac{9}{15} = \frac{3}{5} \qquad \frac{15}{9} = \frac{5}{3} \qquad \frac{5}{15} = \frac{3}{9} \qquad \frac{15}{5} = \frac{9}{3}$$

Puedes verificar que las proporciones son verdaderas por hallar el equivalente decimal de cada lado. La proporción $\frac{3}{15} = \frac{5}{9}$ no es verdadera; 0.2 no es igual a $0.\overline{5}$.

En álgebra, una **variable** representa uno o más números desconocidos. En la proporción $\frac{R}{16} = \frac{1}{4}$, puedes sustituir la variable R con cualquier número, pero sólo el número 4 hará que la proporción sea verdadera.

Investigación: Multiplica y conquista

Pasos 1–4 Cuando multiplicas ambos lados de una ecuación por el *mismo número,* los lados permanecen iguales. Puedes usar esta idea para resolver proporciones con una variable en uno de los numeradores. Por ejemplo, puedes resolver $\frac{M}{19} = \frac{56}{133}$ multiplicando ambos lados por 19.

$$\frac{M}{19} = \frac{56}{133}$$

$$19 \cdot \frac{M}{19} = \frac{56}{133} \cdot 19 \qquad \text{Multiplica ambos lados por 19.}$$

$$M = \frac{56}{133} \cdot 19 \qquad \frac{19}{19} \text{ es equivalente a 1.}$$

$$M = 8 \qquad \text{Multiplica y divide.}$$

Puedes verificar que la solución es correcta por sustituir M con 8 y asegurarte que la proporción resultante, $\frac{8}{19} = \frac{56}{133}$, es verdadera.

(continúa)

Aquí está la solución a la parte a del Paso 2. Intenta resolver las partes b–d por tu propia cuenta.

$$\frac{21}{35} = \frac{Q}{20}$$

$$20 \cdot \frac{21}{35} = \frac{Q}{20} \cdot 20 \qquad \text{Multiplica ambos lados por 20.}$$

$$20 \cdot \frac{21}{35} = Q \qquad \text{$\frac{20}{20}$ es equivalente a 1.}$$

$$12 = Q \qquad \text{Multiplica y divide.}$$

Pasos 5–7 En el Paso 5, las razones de las proporciones del Paso 2 fueron *invertidas*. Estas nuevas proporciones tienen las mismas soluciones que las proporciones originales. Por ejemplo, 12 es solución de ambas proporciones, $\frac{21}{35} = \frac{Q}{20}$ y $\frac{35}{21} = \frac{20}{Q}$. (Comprueba que esto es cierto.) Puedes usar esta idea para resolver proporciones con la variable en un denominador. Por ejemplo, para resolver $\frac{20}{135} = \frac{12}{k}$, sólo invierte las razones para obtener $\frac{135}{20} = \frac{k}{12}$, y multiplica ambos lados por 12.

Ahora lee la pregunta y las soluciones de muestra del Paso 7 y asegúrate de entenderlas.

Cuando un problema implica una razón o un porcentaje, a veces puedes resolverlo por establecer y resolver una proporción. En los Ejemplos B y C de tu libro se presentan algunos problemas de muestra. Aquí tienes otro ejemplo.

EJEMPLO Raj respondió correctamente 75% de las preguntas del examen de álgebra. Si tuvo 27 respuestas correctas, ¿cuántas preguntas había en el examen?

▶ **Solución** Asignemos que q represente el número de preguntas del examen. Usa el hecho de que 75% es 75 de 100 para ayudarte a escribir una proporción. La razón 27 de q es igual a 75 de 100.

$$\frac{27}{q} = \frac{75}{100} \qquad \text{Escribe la proporción.}$$

$$\frac{q}{27} = \frac{100}{75} \qquad \text{Invierte ambos lados.}$$

$$27 \cdot \frac{q}{27} = \frac{100}{75} \cdot 27 \qquad \text{Multiplica ambos lados por 27.}$$

$$q = \frac{100}{75} \cdot 27 \qquad \text{$\frac{27}{27}$ es equivalente a 1.}$$

$$q = 36 \qquad \text{Multiplica y divide.}$$

Hubo 36 preguntas en el examen.

Captura-Recaptura

En esta lección

- simularás el **método captura-recaptura** para estimar las poblaciones de animales
- escribirás y **resolverás proporciones**
- resolverás tres tipos de **problemas de porcentaje:** hallar un porcentaje desconocido, hallar un total desconocido, y hallar una parte desconocida

Los biólogos de la vida silvestre usan un método conocido como "captura-recaptura" para estimar las poblaciones de animales. Este método implica el marcar algunos animales y luego liberarlos para que se mezclen con la población en general. Más adelante se toma una muestra. Usando la razón de los animales marcados en la muestra con respecto al total de los animales de la muestra, los biólogos pueden estimar la población de animales.

Investigación: Peces en el lago

En esta investigación una bolsa de frijoles blancos representa una población de peces de un lago. Para simular el método de captura-recaptura, mete la mano en el "lago" y saca un puñado de "peces". Cuenta los peces de la muestra y, en vez de regresarlos, sustituye a estos peces (frijoles blancos) con un número igual de "peces marcados" (frijoles rojos).

Luego deja que los peces se mezclen (sella la bolsa y agítala para mezclar los frijoles) y después toma otra muestra. Cuenta todos los peces de la muestra y los marcados antes de regresar la muestra al lago. Si tomas algunas muestras más, puedes obtener una buena idea de la razón de peces marcados con respecto al número total de peces en el lago.

Un grupo de estudiantes marcó y regresó al lago 84 peces. Después tomaron cinco muestras. He aquí sus resultados.

Número de muestra	Número de peces marcados	Número total de peces	Razón de peces marcados al número total
1	8	48	$\frac{8}{48} \approx 0.17$
2	24	102	$\frac{24}{102} \approx 0.24$
3	16	86	$\frac{16}{86} \approx 0.19$
4	17	67	$\frac{17}{67} \approx 0.25$
5	16	75	$\frac{16}{75} \approx 0.21$

Para estimar la población de peces en este lago, necesitas elegir una razón que represente a todas las muestras. Podrías calcular la mediana o la media, o utilizar algún otro método para escoger una razón representativa. En este ejemplo usaremos la mediana de las razones, que es $\frac{16}{75}$.

(continúa)

Si los peces fueron mezclados bien, la fracción de los peces marcados en la muestra debe estar cerca de la fracción de peces marcados en la población completa. En otras palabras, se debe tener lo siguiente:

$$\frac{peces\ marcados\ en\ la\ muestra}{total\ de\ peces\ en\ la\ muestra} \approx \frac{peces\ marcados\ en\ la\ población}{total\ de\ peces\ en\ la\ población}$$

En este caso, hubo 16 peces marcados en la muestra, 75 peces en la muestra, y 84 peces marcados en la población. Entonces, puedes estimar la población de peces, *f*, resolviendo esta proporción:

$$\frac{16}{75} = \frac{84}{f}$$

Para resolver la proporción, invierte las razones y multiplica ambos lados por 84.

$$\frac{75}{16} = \frac{f}{84} \qquad \text{Invierte ambas razones.}$$

$$84 \cdot \frac{75}{16} = \frac{f}{72} \cdot 84 \qquad \text{Multiplica ambos lados por 84.}$$

$$393.75 = f \qquad \text{Multiplica y divide.}$$

Entonces hay alrededor de 400 peces en el lago (es decir, aproximadamente 400 frijoles en la bolsa).

Puedes describir los resultados de las situaciones de captura-recaptura con el uso de porcentajes. Los ejemplos de tu libro muestran tres diferentes tipos de problemas de porcentaje: hallar un porcentaje desconocido, hallar un total desconocido, y hallar una parte desconocida. Asegúrate de leer cada ejemplo y de que los entiendes. A continuación está un ejemplo más.

EJEMPLO | En un lago con 350 peces marcados, los resultados de la recaptura muestran que 16% de los peces están marcados. ¿Aproximadamente cuántos peces hay en el lago?

▶ **Solución** | En este caso, la variable es el número total de peces en el lago, *f*. Como 16% de los peces están marcados, hay 16 peces marcados por cada 100. Puedes escribir esto como la razón $\frac{16}{100}$. La razón del número total de peces marcados, 350, al número total de peces en el lago, *f*, es de aproximadamente $\frac{16}{100}$.

$$\frac{16}{100} = \frac{350}{f} \qquad \text{Escribe la proporción.}$$

$$\frac{100}{16} = \frac{f}{350} \qquad \text{Invierte ambas razones.}$$

$$350 \cdot \frac{100}{16} = \frac{f}{350} \cdot 350 \qquad \text{Multiplica ambos lados por 350.}$$

$$2187.5 = f \qquad \text{Multiplica y divide.}$$

Hay unos 2200 peces en el lago.

Proporciones y sistemas de medición

En esta lección

- encontrarás un **factor de conversión** para cambiar mediciones de centímetros a pulgadas
- usarás el **análisis dimensional** para hacer conversiones que implican varios pasos

Si viajas fuera de los Estados Unidos, es útil que conozcas el Système Internationale, o SI, conocido en los Estados Unidos como el sistema métrico. Para cambiar de un sistema de medidas a otro, puedes usar las razones conocidas como **factores de conversión**.

Investigación: Conversión de centímetros a pulgadas

Para encontrar una razón que puedas usar para convertir centímetros a pulgadas y pulgadas a centímetros, primero mide cuidadosamente la longitud o el ancho de diferentes objetos en ambas unidades. A continuación, se presentan algunos datos de muestra. Tal vez quieras reunir tus propios datos o sólo agregar unas cuantas medidas a esta tabla.

Objeto	Medición en pulgadas	Medición en centímetros
bolígrafo	$5\frac{3}{4} = 5.75$	14.7
calculadora	3.0	7.6
papel	$8\frac{1}{2} = 8.5$	21.6
sujetador de papeles	$1\frac{7}{8} = 1.875$	4.7
lápiz	$6\frac{13}{16} = 6.81$	17.4
escritorio	30.0	76.2

Introduce las mediciones en pulgadas en la lista L1 de tu calculadora y las mediciones en centímetros en la lista L2. Introduce la razón de centímetros a pulgadas, $\frac{L_2}{L_1}$, en la lista L3 y deja que la calculadora llene la lista con los valores de la razón. (Consulta **Calculator Note 1I.**) A continuación se tiene la tabla de los datos anteriores.

L1	L2	L3	3
5.75	14.7	2.5565	
3	7.6	2.5333	
8.5	21.6	2.5412	
1.875	4.7	2.5067	
6.8125	17.4	2.5541	
30	76.2	2.54	

L3(1)=2.556521739...

(continúa)

Para encontrar un solo valor que represente la razón de centímetros a pulgadas, puedes usar la mediana o la media de las razones de la lista L₃. En este caso, tanto la media como la mediana son aproximadamente 2.54. Así, la razón de centímetros a pulgadas es $\frac{2.54}{1}$ ó 2.54. Este número es el factor de conversión entre pulgadas y centímetros. Significa que 1 pulgada es equivalente a aproximadamente 2.54 centímetros.

Al usar esta razón, puedes escribir y resolver una proporción para convertir una medición en centímetros a una medición en pulgadas, o viceversa. Cuando estableces una proporción, asegúrate de que ambos lados muestren centímetros a pulgadas o que ambos muestren pulgadas a centímetros.

Cómo convertir 215 centímetros a pulgadas:

$$\frac{2.54}{1} = \frac{215}{x}$$

$$\frac{1}{2.54} = \frac{x}{215}$$

$$215 \cdot \frac{1}{2.54} = \frac{x}{215} \cdot 215$$

$$84.6 \approx x$$

215 centímetros son aproximadamente 84.6 pulgadas.

Cómo convertir 80 pulgadas a centímetros:

$$\frac{2.54}{1} = \frac{x}{80}$$

$$80 \cdot \frac{2.54}{1} = \frac{x}{80} \cdot 80$$

$$203.2 \approx x$$

80 pulgadas son aproximadamente 203.2 centímetros.

Algunas conversiones requieren varios pasos. El ejemplo de tu libro muestra cómo usar una estrategia conocida como **análisis dimensional** para convertir una medición en pies por segundo a millas por hora. He aquí otro ejemplo en el que se usa el análisis dimensional.

EJEMPLO | Un auto recorrió 500 kilómetros consumiendo 45 litros de gasolina. Usando el hecho de que 1 milla es igual a 1.61 kilómetros y 1 galón es igual a 3.79 litros, expresa el consumo de gasolina del auto en millas por galón.

▶ **Solución** | Puedes usar la información dada para expresar el consumo de gasolina del auto como la razón $\frac{500 \text{ kilómetros}}{45 \text{ litros}}$. Usando los otros datos del problema, puedes crear fracciones con un valor de 1, por ejemplo, $\frac{1 \text{ milla}}{1.61 \text{ kilómetros}}$. Al multiplicar la razón original por estas fracciones, puedes convertir la razón de consumo de gasolina a millas por galón.

$$\frac{500 \text{ kilómetros}}{45 \text{ litros}} \cdot \frac{3.79 \text{ litros}}{1 \text{ galón}} \cdot \frac{1 \text{ milla}}{1.61 \text{ kilómetros}} = \frac{1895 \text{ millas}}{72.45 \text{ galones}}$$

$$\approx \frac{26 \text{ millas}}{1 \text{ galón}} \text{ ó } 26 \text{ millas por galón}$$

Observa que las fracciones equivalentes a 1 fueron escogidas de modo que cuando tales unidades se cancelan, el resultado tiene millas en el numerador y galones en el denominador.

En esta lección

- usarás proporciones para resolver problemas que implican **aumento porcentual** o **disminución porcentual**
- explorarás cómo el aumentar o disminuir las dimensiones de un rectángulo por un porcentaje afecta la longitud de sus diagonales, su perímetro, y su área

Muchas situaciones cotidianas (incluyendo hallar precios de venta, impuestos, y propinas) implican trabajar con aumentos porcentuales o disminuciones porcentuales. En esta lección aprenderás cómo usar proporciones para resolver tales problemas.

EJEMPLO | Para celebrar su aniversario número 21, la empresa Elm Street Electronics ofrece 21% de descuento en toda su mercancía. Conor desea comprar un par de bocinas cuyo precio original era de $189. ¿Cuál es el precio de venta de las bocinas?

▶ **Solución** | Si Conor ahorra 21%, entonces paga $100 - 21$ ó 79% del precio original. Como 79% es lo mismo que 79 de 100, puedes encontrar el precio de venta, S, si utilizas esta proporción.

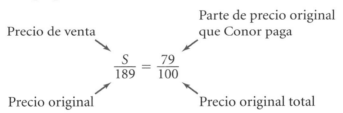

Para resolver la proporción, multiplica ambos lados por 189.

$$189 \cdot \frac{S}{189} = \frac{79}{100} \cdot 189 \qquad \text{Multiplica ambos lados por 189.}$$

$$S = \frac{79}{100} \cdot 189 \qquad \tfrac{189}{189} \text{ es equivalente a 1.}$$

$$S = 149.31 \qquad \text{Multiplica y divide.}$$

El precio de venta es $149.31.

Los cálculos de aumento porcentual implican el mismo razonamiento que los cálculos de disminución porcentual. Por ejemplo, si sumas un 15% de propina a la cuenta de una comida de $22, pagas 115% de $22.

En el Ejemplo B de tu libro se muestra cómo usar una calculadora para hacer cálculos de aumento porcentual para diferentes precios al mismo tiempo. Lee el ejemplo y asegúrate de que lo entiendes.

(continúa)

Lección 2.4 • Aumento y disminución (continuación)

Investigación: Aumentar y reducir

Pasos 1–4 En este rectángulo se ha dibujado una de sus diagonales.

Si aumentas el largo y el ancho en 20%, las nuevas dimensiones serán 120% de las dimensiones originales. Puedes encontrar el largo y el ancho del rectángulo aumentado al resolver las siguientes proporciones.

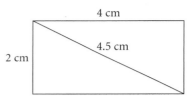

$$\frac{l}{4} = \frac{120}{100} \qquad y \qquad \frac{w}{2} = \frac{120}{100}$$

Si disminuyes el largo y el ancho del rectángulo original en 20%, las nuevas dimensiones serán 80% de las originales. Puedes hallar el largo y el ancho del rectángulo reducido al resolver las siguientes proporciones.

$$\frac{l}{4} = \frac{80}{100} \qquad y \qquad \frac{w}{2} = \frac{80}{100}$$

Aquí se muestran los rectángulos aumentado y reducido.

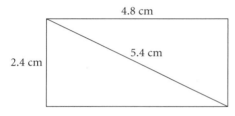
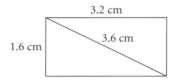

Paso 5 En la tabla se muestran el largo, el ancho, la longitud de la diagonal, el perímetro, y el área de los rectángulos.

La razón de la diagonal del rectángulo aumentado a la diagonal del original es $\frac{5.4}{4.5}$, 1.2, ó 120%. Si calculas la razón de los perímetros, también obtendrás 1.2 ó 120%. Cuando el largo y el ancho se aumentan en 20%, la diagonal y el perímetro aumentan en 20%.

Mediciones del rectángulo

	Dimensiones originales	Dimensiones aumentadas	Dimensiones reducidas
Largo	4 cm	4.8 cm	3.2 cm
Ancho	2 cm	2.4 cm	1.6 cm
Diagonal	4.5 cm	5.4 cm	3.6 cm
Perímetro	12 cm	14.4 cm	9.6 cm
Área	8 cm²	11.52 cm²	5.12 cm²

La razón del área del rectángulo aumentado al área del original es $\frac{11.52}{8}$, 1.44, ó 144%. Observa que $1.44 = 1.2^2$. Entonces cuando el largo y el ancho se multiplican por 1.2, el área se multiplica por 1.2^2.

Si calculas las razones correspondientes para comparar el rectángulo reducido con el original, encontrarás que, cuando el largo y el ancho se disminuyen en 20% (es decir, se les multiplica por 0.8), también lo hacen la diagonal y el perímetro. El área se multiplica por 0.8^2 ó 0.64.

Paso 7 Lee el problema planteado en el Paso 7. Si la longitud l y el ancho w de una mesa se reducen a la mitad, entonces el área A es un cuarto del área original. Para ver por qué es esto, calcula el área de la mesa reducida:

$$A = \frac{1}{2}l \cdot \frac{1}{2}w = \frac{1}{4}lw$$

Así, si 100 fichas de dominó cubren la superficie original de la mesa, 25 cubrirán la superficie reducida.

Diagramas de círculo y diagramas de frecuencias relativas

En esta lección

- crearás **diagramas de círculo**
- calcularás **frecuencias relativas**
- crearás **diagramas de barras de frecuencias relativas** y **diagramas de círculo de frecuencias relativas**

Tanto los diagramas de barras como los diagramas de círculo resumen los datos agrupados en categorías. Los **diagramas de frecuencias relativas** muestran el porcentaje del valor total que cada categoría representa. En esta lección verás cómo hacer diagramas de círculo de frecuencias relativas y diagramas de barras de frecuencias relativas.

Investigación: Diagramas de círculo y diagramas de barras

El diagrama de barras de la página 116 de tu libro muestra el área superficial de cada uno de los siete continentes. Puedes usar el diagrama para aproximar el área de cada continente y el área total.

Para convertir los datos en un diagrama de círculo, necesitas estimar la medida del ángulo de cada sección de la gráfica. Para hacerlo, usa el hecho de que hay 360 grados en un círculo.

Por ejemplo, para hallar el número de grados de la sección que representa a Australia, resuelve esta proporción:

Continente	Superficie (millones de km^2)
Australia	7
Europa	9
Antártida	14
América del Sur	18
América del Norte	24
África	30
Asia	45
Total	147

Superficie de Australia → $\dfrac{7}{147} = \dfrac{x}{360}$ ← Medida del ángulo para la sección de Australia

Superficie total de todos los continentes ↗ ↖ Total de medidas de ángulo para todas las secciones

En la siguiente tabla se muestra la medida de ángulo para cada sección:

Continente	Medida de ángulo
Australia	17°
Europa	22°
Antártida	34°
América del Sur	44°
América del Norte	59°
África	73°
Asia	110°

(continúa)

Abajo a la izquierda tenemos el diagrama terminado. Para cambiar el diagrama a un diagrama de círculo de frecuencias relativas, rotula cada sección con el porcentaje del área total del continente. Puedes calcular los porcentajes escribiendo y resolviendo proporciones. Por ejemplo, para encontrar el porcentaje del área total de Australia, puedes resolver la proporción $\frac{7}{147} = \frac{a}{100}$. A la derecha tenemos el mismo diagrama de círculo en el que las secciones se rotularon con porcentajes.

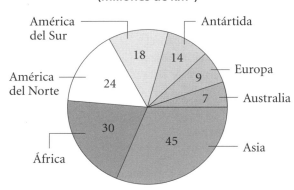

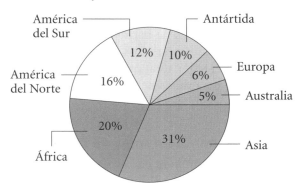

En ambos diagramas de círculo, el tamaño relativo de cada sección indica la porción del área total de cada continente.

Una gráfica de barras de frecuencias relativas para estos datos muestra los porcentajes de la superficie total, en vez del área misma de la tierra. He aquí el diagrama completo de barras de frecuencias relativas.

Observa que, al igual que las gráficas de caja, las gráficas de frecuencias relativas no muestran los valores reales de los datos. Por ejemplo, ambos diagramas de frecuencias relativas muestran que Asia constituye 31% de la superficie total de los continentes, pero ninguno de los diagramas indica cuál es la superficie de Asia.

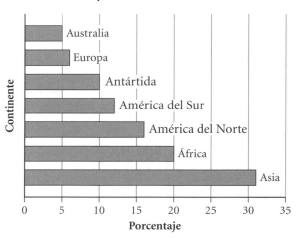

El ejemplo de tu libro te guía por los pasos necesarios para crear un diagrama de círculo de frecuencias relativas y un diagrama de barras de frecuencias relativas para un conjunto diferente de datos. En el ejemplo se utiliza una calculadora para calcular las medidas de ángulo de los diagramas de círculo y para calcular frecuencias relativas. Lee el ejemplo y síguelo en tu calculadora.

Discovering Algebra Condensed Lessons in Spanish
©2004 Key Curriculum Press

Resultados e intentos probabilísticos

En esta lección

- calcularás las **probabilidades observadas** o **frecuencias relativas** de los eventos
- calcularás las **probabilidades teóricas** de los eventos
- compararás frecuencias relativas con probabilidades teóricas

La **probabilidad** de un evento es un número entre 0 y 1 (o entre 0% y 100%) que expresa la posibilidad de que tal evento suceda. Puedes encontrar una probabilidad calculando la razón del número de maneras en que el evento puede ocurrir al número total de maneras que se consideran. Por ejemplo, la probabilidad de obtener cara al lanzar una moneda es $\frac{1}{2}$ porque una de los dos resultados posibles es cara.

EJEMPLO

Joe trabaja en una estación de ferrocarril vendiendo café y jugo de naranja a los usuarios. El martes pasado vendió 60 cafés grandes, 25 cafés chicos, 45 jugos grandes, y 20 jugos pequeños. Si esta distribución refleja con precisión el gusto de sus clientes, ¿cuál es la probabilidad de que su primer cliente del siguiente martes compre un jugo de naranja grande? ¿Un café? ¿Un té?

▶ **Solución**

La probabilidad de que el cliente compre un jugo de naranja grande puede expresarse como la razón

$$\frac{\textit{número de clientes que compraron un jugo de naranja grande}}{\textit{número total de clientes}} = \frac{45}{150} = 0.3$$

La probabilidad de que el cliente compre café es

$$\frac{\textit{número de clientes que compraron café}}{\textit{número total de clientes}} = \frac{60 + 25}{150} = \frac{85}{150} \approx 0.57$$

Ninguno de los clientes compró té, pues no estaba dentro de las opciones. Por eso, la probabilidad de que el primer cliente compre té es

$$\frac{\textit{número de clientes que compraron té}}{\textit{número total de clientes}} = \frac{0}{150} = 0$$

Lee ahora el ejemplo en tu libro y el texto que sigue, que explica los términos **intento, resultado, probabilidad observada,** y **probabilidad teórica.** Piensa en cómo se aplica cada uno de estos términos al ejemplo anterior.

Investigación: Colores dulces

Esta investigación implica el hallar las probabilidades de seleccionar diferentes colores de una bolsa de dulces. Al llevar a cabo un experimento, puedes encontrar las probabilidades observadas, o *frecuencias relativas*. Al contar el número de dulces de cada color, puedes encontrar las probabilidades teóricas.

Pasos 1–2 Para llevar a cabo el experimento, escoges al azar un dulce de la bolsa, registras el color y regresas el dulce a la bolsa. Repite el proceso 40 veces.

(continúa)

El número total de veces que es seleccionado cada color se conoce como **frecuencia experimental.**

A partir de las frecuencias experimentales y el número total de intentos (40), puedes calcular la probabilidad observada o frecuencia relativa de cada color. Por ejemplo, la probabilidad observada de escoger un dulce rojo será

$$\frac{\textit{número total de dulces rojos escogidos}}{\textit{número total de intentos}}$$

Aquí se presentan los datos y las probabilidades observadas que encontró un grupo.

	Resultados experimentales						
	Rojo	Naranja	Café	Verde	Amarillo	Azul	Total
Cuenta	III	JHT JHT III	JHT III	JHT	JHT JHT	I	40
Frecuencia experimental	3	13	8	5	10	1	40
Probabilidad observada (frecuencia relativa)	$\frac{3}{40} = 7.5\%$	$\frac{13}{40} = 32.5\%$	$\frac{8}{40} = 20\%$	$\frac{5}{40} = 12.5\%$	$\frac{10}{40} = 25\%$	$\frac{1}{40} = 2.5\%$	100%

Debido a que la tabla toma en cuenta cada color posible, las probabilidades totales suman 1, ó 100%.

Pasos 3–6 El grupo que reunió los datos anteriores vació la bolsa y contó los dulces de cada color. Después calculó la probabilidad teórica de escoger cada color. Por ejemplo,

$$P(\text{rojo}) = \frac{\textit{número de dulces rojos en la bolsa}}{\textit{número total de dulces en la bolsa}}$$

Aquí están sus resultados.

	Resultados						
	Rojo	Naranja	Café	Verde	Amarillo	Azul	Total
Número de dulces	2	14	14	10	12	4	56
Probabilidad teórica	$\frac{2}{56} = 3.6\%$	$\frac{14}{56} = 25\%$	$\frac{14}{56} = 25\%$	$\frac{10}{56} = 17.9\%$	$\frac{12}{56} = 21.4\%$	$\frac{4}{56} = 7.1\%$	100%

En esta situación, cada dulce tiene igual posibilidad de ser escogido que los otros, pero algunos colores tienen una probabilidad más alta de ser escogidos. En los datos se muestra que hay más posibilidad de escoger el naranja y el café, y que el rojo es el menos posible. Observa que las probabilidades teóricas, al igual que las frecuencias relativas, suman 100%.

Compara las probabilidades teórica y experimental. Por ejemplo, las probabilidades observadas predicen que el naranja será elegido aproximadamente 1 de cada 3 veces. La probabilidad teórica predice que el naranja será escogido 1 de cada 4 veces. En general, cuantos más intentos lleves a cabo, más cerca estarán las probabilidades observadas de la probabilidad teórica.

Resultados aleatorios

En esta lección

- calcularás las probabilidades observadas de un proceso **aleatorio**
- usarás una calculadora para **simular** lanzamientos de monedas
- harás un diagrama en el que se comparan las probabilidades observadas con la probabilidad teórica de lanzar una moneda y obtener cara

Un proceso es **aleatorio** (*random*) si no puedes predecir exactamente qué sucederá en el siguiente intento. Lee el texto introductorio y el ejemplo en tu libro. En el ejemplo se muestra que en ocasiones, incluso si no puedes predecir los resultados exactos de una situación, puedes usar los resultados recolectados para predecir qué pasará a largo plazo. Aquí tienes otro ejemplo.

EJEMPLO

Una tarde, Johnna registró el número de autos y camiones que pasaban enfrente de su ventana durante una hora. (Consideró como camiones las *minivans* y los SUV.) Contó 72 autos y 40 camiones. Usa estos resultados para predecir aproximadamente cuántos de los siguientes 100 vehículos que pasan por la ventana serán camiones.

▶ **Solución**

La probabilidad observada de que un vehículo que pase sea un camión es

$$\frac{\text{número de camiones}}{\text{número total de vehículos}} = \frac{40}{112} \approx 36\%$$

Johnna puede calcular la *probabilidad* de que el siguiente vehículo sea un camión, pero no puede saberlo con seguridad. Desde la perspectiva de Johnna el evento es aleatorio. Como la probabilidad observada es 36%, Johnna puede esperar que 36 de los siguientes 100 vehículos que pasen por su ventana sean camiones.

Cuando lanzas una moneda una sola vez, no puedes predecir si saldrá cara o cruz porque el resultado es aleatorio. Sabes, sin embargo, que hay dos resultados igualmente probables: cara o cruz. Por tanto, la probabilidad teórica de obtener cara es $\frac{1}{2}$.

Investigación: Lanzamiento de monedas en calculadora

En esta investigación usarás tu calculadora para **simular** 100 lanzamientos de una moneda. Después crearás una gráfica de dispersión para comparar la probabilidad teórica con la observada de obtener cara para 100 intentos.

Pasos 1–4 Lee y sigue los Pasos 1–4 de tu libro. Estos pasos te guían para que puedas generar 100 lanzamientos de una moneda. Cuando termines, la tabla de tu calculadora mostrará esta información.

- La lista L1 mostrará el número de intento.
- La lista L2 mostrará el resultado de cada lanzamiento, en ésta 0 representa cruz y 1 representa cara. Por ejemplo, en la tabla de tu libro se muestra que el resultado del intento 1 fue cruz y el resultado del intento 2 fue cara.

(continúa)

- La lista L3 mostrará el número de caras obtenidas hasta ese momento. En el ejemplo de tu libro, se obtuvieron tres caras en los primeros siete intentos.

- La lista L4 mostrará la probabilidad observada, calculada después de cada intento. En el ejemplo de tu libro, se obtuvieron tres caras en los primeros siete intentos, de modo que la probabilidad observada después de siete intentos es $\frac{3}{7}$ ó aproximadamente 0.43.

Pasos 5–8 Puedes hacer una gráfica de dispersión en la que se muestre la probabilidad observada después de cada intento. Usa los valores de la lista L1 (el número de intentos) como los valores x y los valores de la lista L4 (las probabilidades observadas) como los valores de y. Puesto que hay 100 intentos, debes configurar la ventana para que muestre valores de x desde 0 hasta 100. Como el valor más alto de probabilidad es 1, especifica el valor máximo de y como 1. Tu gráfica debe verse parecida a esto.

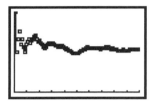

Introduce $\frac{1}{2}$, la probabilidad teórica de obtener cara, en Y1 de la pantalla Y=. Esto grafica la recta $y = \frac{1}{2}$ en la misma pantalla que tu gráfica de dispersión.

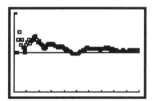

Al observar la cercanía de los puntos a la recta, puedes comparar las probabilidades observadas con la probabilidad teórica. Observa que a medida que aumenta el número de intentos, los puntos se acercan más a la recta; esto es, las probabilidades observadas se acercan cada vez más a la probabilidad teórica. Agrega los datos de 100 intentos más a tu tabla y haz otra gráfica de dispersión. Debes observar que los puntos se acercan aún más a la recta.

Cuantas más veces lances una moneda, más cerca de $\frac{1}{2}$ estará la probabilidad observada de obtener cara. Sin embargo, incluso si emergiera un patrón a largo plazo, no te sería de ayuda para predecir un resultado específico. Cuando lanzas una moneda, conoces la probabilidad teórica de obtener cara o cruz. En algunas situaciones, no puedes calcular probabilidades teóricas. En tales casos, puedes llevar a cabo muchos intentos y determinar las probabilidades observadas basándote en tus resultados experimentales.

Uso de tasas

En esta lección

- conocerás un tipo especial de razón llamada **tasa**
- usarás tasas para hacer diagramas y tablas
- usarás tasas para **comparar** y para **calcular**

Investigación: ¡Vámonos a trabajar!

Pasos 1–6 La semana pasada, Lacy ganó $300 por 20 horas de trabajo. Puedes expresar esto como un razón del pago a las horas trabajadas.

$$\frac{\$300}{20 \text{ horas}}$$

Para hallar el pago de Lacy por 40 horas de trabajo, resuelve esta proporción.

$$\frac{300}{20} = \frac{x}{40}$$

O, puesto que 40 es 2 · 20, sólo multiplica $300, su paga por 20 horas, por 2. Lacy ganaría 2 · 300 ó $600 por 40 horas de trabajo.

Para hallar cuánto gana Lacy en 1 hora, resuelve la proporción $\frac{300}{20} = \frac{x}{1}$. O simplemente calcula 300 ÷ 20. Lacy gana $15 en 1 hora.

Si escribes esto como $\frac{15}{1}$, puedes resolver la proporción $\frac{15}{1} = \frac{x}{3}$ para hallar el pago de Lacy por 3 horas de trabajo. O puedes sólo multiplicar $15, su pago por 1 hora, por 3. Lacy gana $45 en 3 horas.

En la tabla y la gráfica siguientes se muestra el pago de Lacy para diferentes números de horas. Observa que los puntos de la gráfica parecen estar sobre una recta.

El pago de Lacy

Tiempo trabajado (horas)	Pago ($)
1	15
2	30
3	45
4	60
5	75

El pago de Lacy

Una **tasa** es una razón con 1 en el denominador. Aquí se ven tres formas de expresar la tasa de pago de Lacy.

$$\frac{\$15}{1 \text{ hora}}$$ $15 por cada hora $15 por hora

(continúa)

Pasos 7–9 Joseph ganó $513 por 38 horas de trabajo. Para hallar la tasa de pago de Joseph, escribe y resuelve una proporción, o calcula 513 ÷ 38. La tasa de pago de Joseph puede expresarse en cualquiera de estas tres maneras.

$\dfrac{\$13.50}{1 \text{ hora}}$ $13.50 por cada hora $13.50 por hora

Puedes hallar los ingresos de Joseph para cualquier número de horas, si multiplicas el número de horas por la tasa.

Crea una tabla como la correspondiente al pago de Lacy, que muestre el pago de Joseph para un intervalo entre 1 a 5 horas de trabajo. Después grafica tus datos en el mismo sistema donde graficaste el pago de Lacy. Debes observar que los puntos correspondientes a Joseph también caen en una recta, pero ésta es menos inclinada que la de Lacy. Esto es así porque, al ser la tasa de pago de Lacy más alta, ella gana más que Joseph para cualquier número de horas trabajadas.

En la investigación, descubriste que encontrar tasas facilita la comparación del pago de Lacy con el de Joseph. Las tasas también facilitan los cálculos. En vez de resolver una proporción, sólo multiplicas la tasa de pago por el número de horas trabajadas. Lee el resto de la lección en tu libro. Después trabaja el ejemplo adicional que se presenta a continuación.

EJEMPLO | En la última factura telefónica de Ali, le cobraron $12.96 por 144 minutos de llamadas de larga distancia.

a. ¿Cuánto pagó Ali por cada minuto?

b. ¿Cuánto le cobrarán a Ali si habla 212 minutos?

▶ **Solución** | **a.** Expresa los cobros de Ali como una razón: $\frac{\$12.96}{144 \text{ minutos}}$. Divide para encontrar el cargo por 1 minuto: 12.96 ÷ 144 = 0.09. De modo que Ali paga $0.09 por minuto.

b. Multiplica la tasa por minuto por 212. Puedes hacer un análisis dimensional para verificar las unidades de tu respuesta.

$$\frac{\$0.09}{1 \text{ \sout{minuto}}} \cdot 212 \text{ \sout{minutos}} = \$19.08$$

Así pues, le cobrarían a Ali $19.08 por 212 minutos.

En la respuesta a la parte a, *dólares* está en el numerador y *minutos* en el denominador. Si cambias las cantidades del numerador y el denominador, obtienes una tasa diferente.

$$\frac{144 \text{ minutos}}{\$12.96} \approx 11 \text{ minutos por dólar}$$

Puedes usar esta tasa para hallar el número de minutos que Ali podría hablar por una cantidad dada de dinero. Por ejemplo, por $2, Ali puede hablar 11 · 2 ó aproximadamente 22 minutos.

Variación directa

En esta lección

- representarás relaciones usando gráficas, tablas, y ecuaciones
- usarás gráficas, tablas, y ecuaciones para encontrar valores de datos faltantes
- aprenderás la relación entre **tasas, razones,** y **factores de conversión**
- Conocerás las relaciones **directamente proporcionales** y las **variaciones directas**

Investigación: Canales náuticos

En la tabla de la página 146 de tu libro se muestra las longitudes, en millas y kilómetros, de los canales náuticos más largos del mundo. En la tabla faltan dos valores. En esta investigación aprenderás varias maneras de encontrar los valores faltantes.

Pasos 1–2 En esta gráfica se muestran los datos correspondientes a los primeros ocho canales de la tabla. Unir los puntos facilita ver mejor el patrón de recta.

Puedes usar la gráfica para estimar la longitud en kilómetros del Canal de Suez. Como la longitud en millas es 101, inicia en 101 en el eje x y desplázate hacia arriba hasta que llegues a la recta. Después muévete horizontalmente hasta el eje y y lee ahí el valor. La longitud es de unos 160 kilómetros. Usa un método parecido para estimar la longitud del Canal de Trollhätte en millas.

Pasos 3–5 Sigue los Pasos 3 y 4 de tu libro. Cuando hayas terminado, las ventanas de List y de Graph de tu calculadora deberán verse de la siguiente manera.

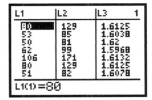 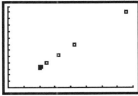

La lista L3 representa la razón de los kilómetros a las millas. Cada valor de la lista se redondea a 1.6, de modo que hay aproximadamente 1.6 kilómetros en cada milla. Puedes usar este factor de conversión para hallar los valores que faltan en la tabla.

Para hallar la longitud del Canal de Suez en kilómetros, resuelve esta proporción.

$$\frac{1.6 \text{ kilómetros}}{1 \text{ milla}} = \frac{t \text{ kilómetros}}{101 \text{ millas}}$$

Para hallar la longitud del Canal de Trollhätte en millas, resuelve esta proporción.

$$\frac{1.6 \text{ kilómetros}}{1 \text{ milla}} = \frac{87 \text{ kilómetros}}{t \text{ millas}}$$

(continúa)

Pasos 6–11 Existen 1.6 kilómetros por milla. Entonces, para cambiar x millas a y kilómetros, multiplica x por 1.6. Puedes escribir esto como la ecuación $y = 1.6x$.

Para hallar la longitud del Canal de Suez en kilómetros, sustituye su longitud en millas por x y resuelve para y

$y = 1.6x$ Escribe la ecuación.

$y = 1.6 \cdot 101 = 161.6$ Sustituye x por 101 y multiplica.

Para hallar la longitud del Canal de Trollhätte en millas, sustituye su longitud en kilómetros para y y resuelve para x.

$y = 1.6x$ Escribe la ecuación.

$87 = 1.6x$ Sustituye y por 87.

$\dfrac{87}{1.6} = x$ Para despejar x, divide ambos lados entre 1.6.

$54.375 = x$ Divide.

Ahora grafica la ecuación $y = 1.6x$ en tu calculadora, en la misma ventana donde están graficados los puntos.

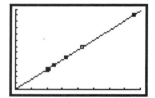

La recta pasa por el origen porque 0 millas = 0 kilómetros. Estima la longitud del Canal de Suez en millas recorriendo la gráfica y encontrando el valor de y cuando el valor de x es aproximadamente 101. Después estima la longitud del Canal de Trollhätte en millas, encontrando el valor de x cuando el valor de y es aproximadamente 87. Tus estimaciones deben estar cercanas a las calculadas o encontradas usando tu gráfica hecha a mano.

Observa la tabla de tu calculadora. Para hallar la longitud del Canal de Suez en kilómetros, bájate hasta el valor de x de 101. El correspondiente valor de y es 161.6.

Para hallar la longitud del Canal de Trollhätte en millas, súbete hasta ver valores de y cercanos a 87. Tomando incrementos de x de 1, el valor y más cercano a 87 es 86.4. Esto da una estimación en millas de 54. Para hallar una estimación más cercana, puedes ajustar la tabla para que muestre incrementos más pequeños.

X	Y1
98	156.8
99	158.4
100	160
101	161.6
102	163.2
103	164.8
104	166.4

X=101

X	Y1
51	81.6
52	83.2
53	84.8
54	86.4
55	88
56	89.6
57	91.2

X=54

Has utilizado diferentes métodos para hallar los valores faltantes. ¿Cuál de ellos prefieres?

La relación entre kilómetros y millas es un ejemplo de un tipo de relación conocida como **variación directa.** En una variación directa, la razón de dos variables es constante. Lee cuidadosamente el texto que está a continuación de la investigación en tu libro. Asegúrate de entender los términos **directamente proporcional** y **constante de variación.** Después lee y continúa con el ejemplo.

Dibujos a escala y figuras semejantes

En esta lección

- encontrarás **factores de escala** que relacionan dibujos a escala con los objetos reales
- crearás un **dibujo a escala**
- usarás factores de escala para encontrar longitudes faltantes en **figuras semejantes**
- escribirás ecuaciones de **variación directa** que relacionan figuras semejantes

Los planos y los mapas son ejemplos de dibujos a escala. Cada uno de ellos tiene una tasa o **factor de escala** que relaciona las mediciones del dibujo con las mediciones del objeto real que el dibujo representa.

Investigación: Planos

Pasos 1–3 En el dibujo a escala de la página 154 de tu libro se muestra el plano de un apartamento. Tres de las longitudes están rotuladas con sus medidas reales. Usa una regla graduada en centímetros para medir las longitudes rotuladas. En la siguiente tabla se comparan las longitudes reales con las longitudes del dibujo.

Longitud real (metros)	Longitud del dibujo (centímetros)
6.0	4.0
3.5	2.3
3.3	2.2

Calcula la razón de la longitud real a la longitud del dibujo para cada pareja de mediciones y convierte cada razón a fracciones decimales. He aquí el cálculo para la primera pareja de mediciones.

$$\frac{medición\ real\ en\ metros}{medición\ de\ dibujo\ a\ escala\ en\ centímetros} = \frac{6.0\ metros}{4.0\ centímetros}$$

$$= 1.5\ metros\ por\ centímetro$$

Como todo el plano fue dibujado a la misma escala, debes obtener el mismo resultado para cada par de mediciones.

Observa que el resultado anterior es una *tasa*. La tasa te dice que hay 1.5 metros en el piso real por cada centímetro del dibujo. De modo que la *escala* del plano es 1 centímetro = 1.5 metros.

Pasos 4–5 En el dibujo, la recámara tiene una longitud de unos 3.7 centímetros y un ancho de unos 2.9 centímetros. (Verifica esto.) Para hallar las dimensiones reales, multiplica estas mediciones por 1.5.

$$\text{Longitud real} = 3.7\ \cancel{\text{centímetros}} \cdot \frac{1.5\ \text{metros}}{1\ \cancel{\text{centímetro}}} \approx 5.6\ \text{metros}$$

$$\text{Longitud real} = 2.9\ \cancel{\text{centímetros}} \cdot \frac{1.5\ \text{metros}}{1\ \cancel{\text{centímetro}}} \approx 4.4\ \text{metros}$$

(continúa)

Puedes usar la ecuación de variación directa $y = 1.5x$ para convertir cualquier longitud del dibujo, x (en centímetros), a la longitud real, y (en metros).

Pasos 6–7 El administrador de un complejo de apartamentos desea hacer una maqueta de un apartamento en la cual una pared de 6 metros tenga una longitud de 10 centímetros. En el dibujo a escala, la pared tiene una longitud de 4 centímetros. Puedes escribir esta razón como

$$\frac{longitud\ en\ la\ maqueta}{longitud\ en\ el\ dibujo} = \frac{10\ \text{centímetros}}{4\ \text{centímetros}} = 2.5\ \text{centímetros por centímetro}$$

Así pues, para convertir las mediciones del dibujo a escala a la maqueta, multiplica por 2.5. Esto se puede expresar con la ecuación $y = 2.5x$, en la que x es la longitud del dibujo en centímetros y y es la longitud de la maqueta en centímetros.

Ahora dibuja un plano preciso para la maqueta. En tu plano terminado, cada longitud debe ser 2.5 veces la longitud del plano original y cada ángulo debe tener la misma medida que el ángulo correspondiente del plano original.

El plano que dibujaste debe tener la misma *forma* que el original. Las figuras que tienen la misma forma se llaman **figuras semejantes.** Los polígonos semejantes tienen lados que son proporcionales y ángulos que son congruentes. En el Ejemplo A de tu libro se muestra cómo encontrar el factor de escala para un par de figuras semejantes, y luego usarlo para encontrar una longitud faltante. Lee el ejemplo y asegúrate de entenderlo. Aquí hay otro ejemplo.

EJEMPLO Zeke está construyendo un modelo de un bote. Desea que cada pulgada de su modelo represente 3.5 pies del bote real. Escribe una ecuación que él pueda usar para convertir las longitudes reales a las longitudes del modelo. Explica cómo Zeke podría usar una gráfica de calculadora para ayudarse a hacer sus conversiones.

▶ **Solución** Hagamos que x represente las longitudes reales en pies y que y represente las longitudes del modelo en pulgadas. Deseas encontrar una ecuación que te permita calcular y cuando conoces x. Puedes usar la información del problema para escribir una proporción y luego despejar y para obtener la ecuación.

$$\frac{y}{x} = \frac{1}{3.5} \qquad \text{y corresponde a 1 pulgada y x a 3.5 pies.}$$

$$x \cdot \frac{y}{x} = \frac{1}{3.5} \cdot x \qquad \text{Para despejar y, multiplica ambos lados por x.}$$

$$y = \frac{1}{3.5}x$$

Zeke podría introducir esta ecuación en su calculadora y hacer una gráfica. Luego podría usar la función Trace recta para leer cada medición. Por ejemplo, el punto (14, 4) significa que 14 pies del bote real deben estar representados por 4 pulgadas en el modelo.

LECCIÓN CONDENSADA

3.4 Variación inversa

En esta lección

- descubrirás un **principio fundamental de los subibaja,** o palancas
- estudiarás relaciones en las que dos variables son **inversamente proporcionales**
- escribirás ecuaciones para las **variaciones inversas**
- usarás ecuaciones de variación inversa para resolver problemas

Investigación: *Nickels* en un subibaja

Para que dos personas de pesos distintos se equilibren en un subibaja, deben sentarse a diferentes distancias del centro. En esta investigación experimentarás con un "subibaja" hecho con una regla y un lápiz. Explorarás diferentes maneras de ajustar el peso y la distancia de un lado del subibaja para equilibrar un peso fijo del otro lado.

Pasos 1–5 Sigue los Pasos 1–4 de tu libro. Cuando hayas terminado, tu tabla de datos debe verse parecida a la siguiente.

Lado izquierdo		Lado derecho	
Número de nickels	Distancia desde el lápiz	Número de nickels	Distancia desde el lápiz
1	6	2	3
2	3	2	3
3	2	2	3
4	1.5	2	3
6	1	2	3

A medida que aumentas el número de nickels (monedas de 5 centavos) en el lado izquierdo, debes disminuir la distancia desde el lápiz para que los dos lados se equilibren. Observa que para ambos lados, el producto del número de nickels y la distancia es siempre 6.

Ahora apila tres nickels 3 pulgadas a la derecha del lápiz y repite los Pasos 1–4. No podrás equilibrar los tres nickels con sólo un nickel. (Para hacer esto, necesitarías colocar el nickel a 9 pulgadas del lápiz, lo cual es imposible.) Sin embargo, en todos los demás casos, debes encontrar que el producto del número de nickels y la distancia del lado izquierdo siempre es 9, al igual que el producto del lado derecho.

En general, el producto de los nickels del lado izquierdo y la distancia del lado izquierdo es igual al producto de los nickels del lado derecho y la distancia del lado derecho. Si haces que N y D representen los nickels y la distancia del lado izquierdo y que n y d representen los nickels y la distancia del lado derecho, puedes expresar este hecho como una ecuación.

$$N \cdot D = n \cdot d$$

(continúa)

Lección 3.4 • Variación inversa (continuación)

En el texto que se encuentra en la parte superior de la página 165 de tu libro, se expresa la relación que descubriste como una ecuación de multiplicación y como dos proporciones. Puedes usar lo que sabes sobre la resolución de proporciones para mostrar que las tres ecuaciones son equivalentes. Por ejemplo, para mostrar que la primera proporción es equivalente a la ecuación de multiplicación, multiplica ambos lados de la proporción primero por *nickels de la derecha* y luego por *distancia de la izquierda.* (¡Inténtalo!)

En la investigación del subibaja, el producto de la distancia de la izquierda y los nickels de la izquierda fue constante. Lee el Ejemplo A de tu libro con cuidado. En él se analiza otra relación en la que dos variables tienen un producto constante. Tal relación se llama **variación inversa,** y se dice que las variables son *inversamente proporcionales.*

La ecuación de una variación inversa puede escribirse de la forma $xy = k$ o $y = \frac{k}{x}$, en la que x y y son las variables inversamente proporcionales y k es el producto constante, conocido como **constante de variación.** La gráfica de una variación inversa siempre tiene forma de curva y nunca cruza el eje x o el eje y.

EJEMPLO

El tiempo (en horas) que lleva recorrer una distancia fija (en millas) es inversamente proporcional a la velocidad (*speed*) promedia (en millas por hora). Cuando Tom viaja en bicicleta con una velocidad promedia de 12 millas por hora, tarda 0.25 horas para ir de su casa a la escuela.

a. ¿Cuánto tiempo tarda Tom para ir de su casa a la escuela si viaja en su motoneta con una velocidad promedia de 8 millas por hora?

b. Si tiene 45 minutos para llegar a la escuela, ¿cuál es la velocidad mínima a la que podría ir y llegar a la escuela a tiempo?

▶ **Solución**

a. Asignemos que t sea el tiempo de recorrido de Tom y que r sea su velocidad de desplazamiento. Como t y r son inversamente proporcionales, tienen un producto constante k. Puesto que $r = 12$ cuando $t = 0.25$, k debe ser $12 \cdot 0.25$ ó 3. Ahora puedes escribir la ecuación de variación inversa como $t = \frac{3}{r}$.

Usa la ecuación para responder a la pregunta.

$t = \frac{3}{8}$ Sustituye r por 8.

$t = 0.375$ Divide.

Así que Tom tardaría 0.375 horas ó 22.5 minutos.

b. $0.75 = \frac{3}{r}$ t es 0.75 horas.

$\frac{1}{0.75} = \frac{r}{3}$ Para tener r en el numerador, invierte ambas razones.

$3 \cdot \frac{1}{0.75} = \frac{r}{3} \cdot 3$ Para despejar r, multiplica ambos lados por 3.

$4 = r$ Multiplica y divide.

Lo más lento que Tom podría viajar es 4 millas por hora.

Orden de las operaciones y la propiedad distributiva

En esta lección

- aplicarás el **orden de las operaciones** para evaluar expresiones
- usarás la **propiedad distributiva** para hacer cálculos mentales
- usarás la propiedad distributiva para reescribir **expresiones algebraicas**

El orden de las operaciones especifica el orden en el cual las operaciones de una expresión deben evaluarse. Por ejemplo, para evaluar $12 - 2 \cdot 5$, multiplicas primero y luego restas, de modo que el resultado es 2. En tu texto, lee las reglas para el orden de las operaciones y el Ejemplo A. Aquí sigue otro ejemplo.

EJEMPLO A | Evalúa la expresión $7 + \sqrt{13 - 4}$ sin calculadora. Luego introduce la expresión en tu calculadora para ver si obtienes la misma respuesta.

▶ **Solución** | El símbolo de raíz cuadrada es un símbolo de agrupamiento, de modo que debes evaluar primero la expresión que está dentro de este símbolo.

$$7 + \sqrt{13 - 4} = 7 + \sqrt{9} \quad \text{Resta los números agrupados.}$$

$$= 7 + 3 \quad \text{Evalúa la raíz cuadrada.}$$

$$= 10 \quad \text{Suma.}$$

Para que tu calculadora reconozca el agrupamiento, necesitas introducir paréntesis para la expresión que está dentro del símbolo de raíz cuadrada: $7 + \boxed{\sqrt{}} (13 - 4)$ $\boxed{\text{ENTER}}$.

Investigación: Crucigrama de números

En esta investigación practicarás las reglas para el orden de las operaciones al hacer un crucigrama de números. Lee las reglas y luego completa el crucigrama. El crucigrama terminado se muestra aquí.

Puedes evaluar la expresión $4(8 + 3)$ de dos maneras.

1. Suma primero y luego multiplica: $4(8 + 3) = 4(11) = 44$.
2. Multiplica por 4 cada número dentro del paréntesis y luego suma los resultados:
   $4(8 + 3) = 4 \cdot 8 + 4 \cdot 3 = 32 + 12 = 44$.

(continúa)

Lección 4.1 • Orden de las operaciones y la propiedad distributiva (continuación)

Este ejemplo ilustra la **propiedad distributiva.** Lee sobre la propiedad distributiva en las páginas 184 y 185 de tu libro, y luego sigue atentamente los Ejemplos B–D. Aquí hay dos ejemplos adicionales.

EJEMPLO B | Encuentra $8 \cdot 97$ sin usar tu calculadora.

▶ **Solución** | Aquí se presentan dos maneras de encontrar el producto.

Piensa en 97 como 90 + 7.
Encuentra 8 · 90 y suma 8 · 7.

$$8 \cdot 97 = 8(90 + 7)$$
$$= 8 \cdot 90 + 8 \cdot 7$$
$$= 720 + 56$$
$$= 776$$

Piensa en 97 como 100 − 3.
Encuentra 8 · 100 y luego resta 8 · 3.

$$8 \cdot 97 = 8(100 - 3)$$
$$= 8 \cdot 100 - 8 \cdot 3$$
$$= 800 - 24$$
$$= 776$$

EJEMPLO C | El museo de arte ofrece a los estudiantes un descuento de $3 en el precio de admisión.

a. Asignemos que A represente el precio normal de admisión. Escribe dos expresiones equivalentes para el precio total que deben pagar los 25 estudiantes del aula de Ms. Dahl si quieren entrar al museo. Una expresión debe tener paréntesis y la otra no.

b. Usa tu calculadora para verificar que ambas expresiones que escribiste en la parte a dan el mismo precio total de admisión.

▶ **Solución** | **a.** Una expresión para el precio total es $25(A - 3)$. Puedes escribir la expresión sin paréntesis al distribuir el 25 para obtener $25A - 75$.

b. Introduce esta lista de posibles precios en la lista L₁: {5, 8, 10, 12}. La pantalla de la calculadora muestra la lista de precios almacenada en la lista L₁. Después muestra las dos expresiones evaluadas (usando la lista L₁ en lugar de la variable A). Ambas expresiones dan el mismo resultado. El costo de llevar al aula al museo es $50 si el precio de admisión es $5, $125 si el precio de admisión es $8, y así sucesivamente.

```
{5,8,10,12}→L₁
      {5 8 10 12}
25(L₁-3)
{50 125 175 225}
25L₁-75
{50 125 175 225}
```

Escribir expresiones y deshacer operaciones

En esta lección

- usarás **expresiones algebraicas** para explicar trucos numéricos
- trabajarás en orden inversa para **resolver ecuaciones**

Lee sobre el truco numérico descrito en el primer párrafo de la lección de tu libro. Intenta hacer el truco con diferentes números iniciales. Siempre debes obtener 7. Puedes usar el álgebra para entender cómo funciona el truco.

Investigación: Las matemáticas que hay detrás del truco numérico

Pasos 1–3   Sigue las instrucciones del Paso 1 de tu libro para intentar efectuar el truco con varios números al mismo tiempo. Observa que la última operación hecha con la calculadora, Ans − L1, es diferente de las demás pues implica el número con el que empezaste, en vez de un valor constante.

Los trucos numéricos como éste funcionan porque ciertas operaciones "se deshacen" durante el proceso de hacer el truco. En este truco, el paso Ans/3 deshace Ans · 3.

En la página 191 de tu libro se muestra un esquema para representar un truco numérico diferente. El símbolo $+1$ representa una unidad positiva y el símbolo n representa una variable. Puedes pensar en n como si fuera un contenedor para diferentes números iniciales desconocidos. En la columna derecha que presentamos a continuación, se describe con palabras cada etapa del truco.

Etapa		Descripción
1	n	Piensa en un número.
2	n $+1$ $+1$ $+1$	Suma 3.
3	n n $+1$ $+1$ $+1$ $+1$ $+1$ $+1$	Multiplica por 2.
4	n n $+1$ $+1$	Resta 4.
5	n $+1$	Divide entre 2.
6	$+1$	Resta el número original.
7	$+1$ $+1$ $+1$	Suma 2 (o multiplica por 3).

Pasos 4–6   A partir de la Etapa 6, cualquiera que intente hacer el truco obtendrá el mismo resultado, porque el número que escoge es restado en la Etapa 5. Usa tu calculadora para probar este truco con una lista de números iniciales. Debes obtener un resultado de 3, sin importar con qué número empezaste.

Paso 7   Inventa tu propio truco numérico. A lo mejor te sea útil trazar diagramas como los anteriores. El diagrama correspondiente a la etapa final no debe contener variables.

(continúa)

Sigue el Ejemplo A de tu libro, que muestra cómo escribir una expresión algebraica para representar las etapas de un truco numérico. La expresión final resume todas las etapas del truco en forma simbólica.

Aquí tienes una expresión para el truco numérico de la página 190.

$$\frac{3(x + 9) - 6}{3} - x$$

Asegúrate de comprender cómo la expresión es equivalente al truco. Observa que la división entre 3 deshace la multiplicación por 3, y que la x con que empezaste se resta al final.

Lee ahora el Ejemplo B de tu libro, que muestra cómo escribir el truco descrito con una expresión algebraica.

Una **ecuación** es una afirmación que establece que el valor de un número o de una expresión algebraica es igual al valor de otro número o expresión algebraica. Por ejemplo, esta ecuación representa el truco numérico que está al inicio de la lección.

$$\frac{3(x + 9) - 6}{3} - x = 7$$

El valor de una variable que hace que una ecuación sea verdadera es una **solución** a la ecuación. Para la ecuación anterior, *cada* número es una solución. Sin embargo, por lo general éste no es el caso. Por ejemplo, 4 es la única solución de $2x + 3 = 11$.

Trabaja el Ejemplo C de tu libro. En la parte c se muestra cómo resolver una ecuación en orden inversa, deshaciendo cada operación hasta que alcanzas la solución. Aquí hay otro ejemplo.

EJEMPLO | Resuelve $\dfrac{2(x + 5)}{3} = 6$.

▶ **Solución** | Para obtener 6, suma 5 a un número x, multiplica el resultado por 2 y luego divide ese resultado entre 3. Para hallar el valor de x, empieza con 6 y trabaja hacia atrás, deshaciendo cada operación: multiplica 3 por 3, divide entre 2, resta 5.

Ecuación: $\dfrac{2(x + 5)}{3} = 6$ Trabaja en orden inversa

Operaciones en x	Deshaz las operaciones	
		$x = 4$
$+ (5)$	$- (5)$	9
$\cdot (2)$	$\div (2)$	18
$\div (3)$	$\cdot (3)$	6

La solución es $x = 4$. Verifica esto al sustituir el valor en la ecuación original.

Secuencias recursivas

En esta lección

- encontrarás **secuencias recursivas** asociadas con patrones de palillos de
  dientes
- encontrarás valores faltantes de secuencias recursivas
- escribirás **rutinas recursivas** que generan secuencias

Una **secuencia recursiva** es una lista ordenada de números generados al aplicar
una regla a cada número sucesivo. Por ejemplo, la secuencia 100, 95, 90, 85, 80,
75, . . . se genera al aplicar la regla "resta 5". En el Ejemplo A de tu libro se
muestra cómo usar tu calculadora para generar una secuencia recursiva. Trabaja
el ejemplo y asegúrate de que lo entiendes.

Investigación: Patrones recursivos de palillos de dientes

Pasos 1–4 Dibuja o usa palillos de dientes para construir el patrón de triángulos
de la página 200 de tu libro, usando un palillo por cada lado del triángulo más
pequeño. Por cada figura, encuentra el número total de palillos y el número de
palillos en el perímetro.

Construye las Figuras 4–6 del patrón. En esta tabla se muestra el número de
palillos y el perímetro de cada figura.

	Número de palillos	Perímetro
Figura 1	3	3
Figura 2	5	4
Figura 3	7	5
Figura 4	9	6
Figura 5	11	7
Figura 6	13	8

Para encontrar el número de palillos de una figura, suma 2 al número de la figura
anterior. Para encontrar el perímetro de una figura, suma 1 al perímetro de la
figura anterior. A continuación se presentan las rutinas recursivas para generar
estos números en tu calculadora.

Número de palillos:

Presiona 3 ENTER.

Presiona +2.

Presiona ENTER para generar
cada término sucesivo.

Perímetro:

Presiona 3 ENTER.

Presiona +1.

Presiona ENTER para generar
cada término sucesivo.

Construye la Figura 10 y encuentra el número de palillos y el perímetro. Usa las
rutinas de tu calculadora para verificar tus cuentas. (La décima vez que presiones
ENTER, verás la cuenta correspondiente a la Figura 10.) Existen 21 palillos en la
Figura 10 con 12 palillos en el perímetro.

(continúa)

Pasos 5–6 Repite los Pasos 1–4 para un patrón de cuadrados. Aquí se muestra cómo se debería ver el patrón.

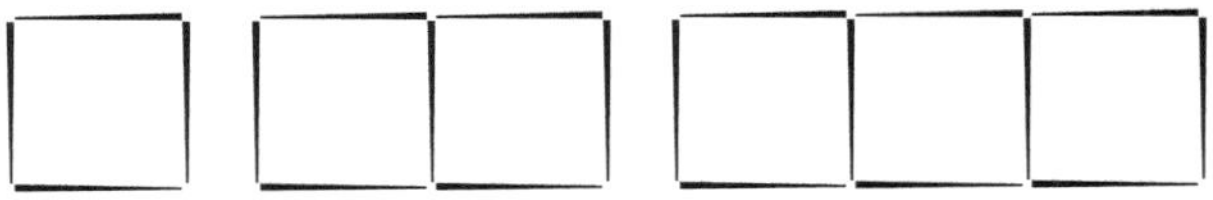

Figura 1   Figura 2   Figura 3

Busca reglas para generar secuencias para el número de palillos y el perímetro de cada figura. Debes hallar que el número de palillos de cada figura es 3 más que el número de la figura anterior y que el perímetro de cada figura es 2 más que el del perímetro anterior. Observa que si consideras la longitud de un palillo como 1 unidad, el área de la Figura 1 es 1, el área de la Figura 2 es 2, y así sucesivamente.

Pasos 7–8 Crea tu propio patrón de palillos y, en tu calculadora, halla rutinas recursivas para producir el número de palillos, el perímetro, y el área.

Aquí se presentan un patrón y la tabla y las rutinas recursivas que van con él.

Figura 1   Figura 2   Figura 3

	Número de palillos	Perímetro	Área
Figura 1	8	8	3
Figura 2	14	12	6
Figura 3	20	16	9
Figura 4	26	20	12
Figura 12	74	52	36

A continuación se muestran rutinas recursivas que describen cómo crecen las figuras.

Número de palillos:
Presiona 8 ENTER.

Presiona +6.

Presiona ENTER repetidamente.

Perímetro:
Presiona 8 ENTER.

Presiona +4.

Presiona ENTER repetidamente.

Área:
Presiona 3 ENTER.

Presiona +3.

Presiona ENTER repetidamente.

Para cada rutina puedes encontrar el resultado de la figura con 40 piezas de rompecabezas al presionar ENTER 40 veces. Necesitas 242 palillos para construir la figura. El perímetro de la figura es 164 y el área es 120.

Para hallar el número de piezas necesarias para una figura con área 150, usa tu rutina de área para generar números hasta que llegues a 150. Debes presionar ENTER 50 veces, de modo que necesitarías 50 piezas. Usa ahora tu rutina para el número de palillos, presionando ENTER 50 veces. El resultado es 302, de modo que necesitas 302 palillos para construir la figura.

Ahora lee el Ejemplo B en tu libro, con el cual adquirirás práctica para encontrar números faltantes en secuencias recursivas.

4.4 Gráficas lineales

En esta lección

- usarás tu calculadora para aplicar varias rutinas recursivas al mismo tiempo
- graficarás los valores generados por rutinas recursivas
- entenderás cómo el valor inicial y la regla de una rutina recursiva se ven reflejadas en la gráfica

Sigue el ejemplo de la página 206 de tu libro y asegúrate de entenderlo.

Investigación: En el camino de nuevo

Pasos 1–3 En tu libro lee la introducción a la investigación y el Paso 1. Se te da la velocidad de cada vehículo en millas por hora. Puedes usar análisis dimensional para convertir cada velocidad a millas por minuto (mi/min). Por ejemplo,

$$\frac{72 \text{ millas}}{1 \text{ \sout{hora}}} \cdot \frac{1 \text{ \sout{hora}}}{60 \text{ minutos}} = \frac{72 \text{ millas}}{60 \text{ minutos}} = 1.2 \text{ millas por minuto}$$

Aquí se muestran las velocidades de los tres vehículos en millas por minuto.

minivan: 1.2 mi/min   pickup: 1.1 mi/min   auto deportivo: 0.8 mi/min

Usa estas velocidades para escribir rutinas recursivas para hallar la distancia de cada vehículo desde Flint después de cada minuto.

La minivan comienza su viaje a 220 millas de Flint. Después de cada minuto, se encuentra 1.2 millas más cerca a Flint. De modo que el valor inicial es 220 y la regla es "resta 1.2".

La pickup comienza su viaje a 0 millas de Flint. Después de cada minuto, se encuentra 1.1 millas más lejos de Flint. De modo que el valor inicial es 0 y la regla es "suma 1.1".

El auto deportivo comienza su viaje 35 millas de Flint. Después de cada minuto, se encuentra 0.8 millas más lejos de Flint. De modo que el valor inicial es 35 y la regla es "suma 0.8".

Para introducir las rutinas recursivas en tu calculadora, introduce una lista de valores iniciales, {220, 0, 35}. Luego aplica las reglas introduciendo

$\{\text{Ans}(1) - 1.2, \text{Ans}(2) + 1.1, \text{Ans}(3) + 0.8\}$

Usa tu calculadora para hallar la distancia desde Flint por cada uno de los primeros minutos. Registra tus resultados en una tabla. Luego cambia las reglas para hallar las distancias a intervalos de 10 minutos. Para hacer esto, multiplica los números que se van a sumar o restar por 10. Las nuevas reglas son las siguientes.

$\{\text{Ans}(1) - 12, \text{Ans}(2) + 11, \text{Ans}(3) + 8\}$

Tiempo (min)	Minivan (mi)	Auto deportivo (mi)	Pickup (mi)
0	220	35	0
1	218.8	35.8	1.1
2	217.6	36.6	2.2
5	214	39	5.5
10	208	43	11
100	100	115	110

Aquí se presenta una tabla que contiene algunos valores. Una tabla completa tendría muchos valores más y mostrar los valores del tiempo hasta que cada vehículo llega a su destino.

(continúa)

Pasos 4–9   Puedes graficar esta información en un par de ejes coordenados en lo que el tiempo esté en el eje *x* y la distancia desde Flint en el eje *y*. Observa que los puntos correspondientes a cada vehículo caen en una recta. Es lógico conectar los puntos para representar todos los instantes posibles.

El valor inicial de cada rutina es el valor donde la gráfica cruza el eje *y*. La regla recursiva afecta cuánto cambia el valor de la distancia cuando el valor del tiempo se incrementa en 1. Esto determina la inclinación de la recta.

La recta correspondiente a la minivan se inclina hacia abajo, de izquierda a derecha, debido a que la distancia del vehículo a Flint disminuye con el tiempo. Las rectas correspondientes a los otros vehículos se inclinan hacia arriba porque sus distancias a Flint aumentan con el tiempo.

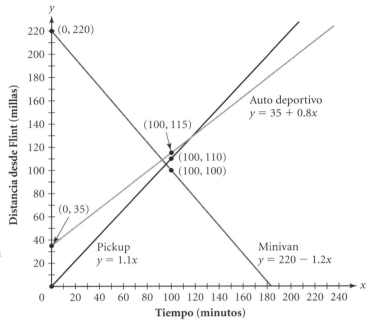

Las rectas correspondientes a la minivan y al auto deportivo se cruzan aproximadamente en (90, 110). Esto significa que estos vehículos se cruzan después de 90 minutos, cuando los dos se encuentran a unas 110 millas de Flint. En ese momento, la pickup está aproximadamente a 100 millas de Flint.

La recta correspondiente a la pickup es más inclinada que la correspondiente al auto deportivo, lo cual indica que la pickup se desplaza más rápido. Las rectas correspondientes a la pickup y al auto deportivo se cruzan aproximadamente en (115, 125), lo que indica que la pickup se adelanta al auto deportivo después de unos 115 minutos, cuando ambos vehículos están aproximadamente a 125 millas de Flint.

La recta correspondiente a la minivan cruza el eje *x* antes que las rectas de los otros vehículos alcancen la marca de las 220 millas en el eje *y*, lo que indica que la minivan llega a su destino primero. La minivan llega a Flint en aproximadamente 185 minutos. La pickup llega al puente en 200 minutos. El auto deportivo llega al puente en aproximadamente 230 minutos.

En este problema suponemos que los vehículos viajan con una velocidad constante, sin detenerse ni aminorar su paso nunca. En la realidad, los vehículos cambiarían su velocidad, lo cual quedaría indicado mediante cambios en la inclinación de la gráfica, y se detendrían ocasionalmente, lo cual quedaría indicado por segmentos horizontales en la gráfica. No podrías escribir una rutina recursiva para generar estas gráficas; tendrías que escribir una rutina diferente para cada intervalo en que la velocidad es diferente.

Ecuaciones lineales y la forma de intersección *y*

En esta lección

- **escribirás ecuaciones lineales** a partir de rutinas recursivas
- conocerás la **forma de intersección *y*** de una ecuación lineal, $y = a + bx$
- observarás cómo se relacionan los valores de *a* y *b* de la forma de intersección *y* con la gráfica de la ecuación

Investigación: Ejercicio físico con ecuaciones

Manisha quemó 215 calorías durante su camino al gimnasio. En el gimnasio, quema 3.8 calorías por minuto en la bicicleta fija.

Pasos 1–3 Puedes usar la siguiente rutina de calculadora para hallar el número total de calorías que Manisha ha quemado después de cada minuto que pedalea.

Presiona {0, 215} ENTER.

Presiona Ans + {1, 3.8}.

Presiona ENTER repetidamente.

En la lista {0, 215}, 0 es el valor inicial del tiempo en *minutos* y 215 es el valor inicial de la energía en *calorías*. Ans + {1, 3.8} suma 1 al valor de minutos y 3.8 al valor de calorías cada vez que presionas ENTER.

Puedes usar la rutina de tu calculadora para generar esta tabla.

En 20 minutos, Manisha ha quemado 215 + 3.8(20) ó 291 calorías. En 38 minutos, ha quemado 215 + 3.8(38) ó 359.4 calorías. Escribir y evaluar expresiones como estas te permite encontrar las calorías quemadas para cualquier número de minutos, sin tener que hallar todos los valores anteriores.

Pasos 4–7 Si *x* es el tiempo en minutos y *y* es el número de calorías quemadas, entonces $y = 215 + 3.8x$. Verifica que esta ecuación produce los valores de la tabla sustituyendo cada valor de *x* para ver si obtienes el correspondiente valor de *y*.

Usa tu calculadora para graficar los puntos de tu tabla. Después introduce la ecuación $y = 215 + 3.8x$ en el menú Y= y grafícala. La recta debe pasar por todos los puntos como se muestra aquí.

Ejercicio físico de Manisha

Tiempo de pedaleo (min), *x*	Total de calorías quemadas, *y*
0	215
1	218.8
2	222.6
20	291
30	329
45	386
60	443

[0, 70, 10, 0, 500, 50]

Observa que tiene sentido dibujar una recta que pase por los puntos, pues Manisha quema calorías cada instante que pedalea.

(continúa)

Pasos 8–10 Si sustituyes *y* por 538 en la ecuación, obtienes $538 = 215 + 3.8x$. Puedes proceder en orden inversa desde 538, deshaciendo cada operación, para encontrar el valor de *x*.

$$x \xrightarrow{\times 3.8} 3.8x \xrightarrow{+ 215} 215 + 3.8x$$
$$\|$$
$$85 \xleftarrow[\div 3.8]{} 323 \xleftarrow[- 215]{} 538$$

Manisha debe pedalear 85 minutos para quemar 538 calorías.

Mira de nuevo la rutina recursiva, la ecuación, y la gráfica. El valor inicial de la rutina recursiva, 215, es el valor constante en la ecuación y es el valor *y* donde la gráfica cruza el eje *y*. La regla recursiva, "suma 3.8", es el número por el cual se multiplica *x* en la ecuación. En la gráfica, esta regla afecta la inclinación de la recta: te desplazas hacia arriba 3.8 unidades por cada unidad que te desplazas a la derecha.

En tu libro, lee el texto y los ejemplos que se encuentran después de la investigación. Asegúrate de que entiendes la **forma de intersección *y*** de una ecuación, $y = a + bx$, y cómo la **intersección *y*, *a*,** y el **coeficiente, *b*,** se ven reflejados en la gráfica de la ecuación. Aquí se presenta un ejemplo adicional.

EJEMPLO Un plomero cobra una tarifa fija de $45 por acudir al sitio del trabajo, más $30 por cada hora de trabajo.

a. Define las variables y escribe una ecuación en forma de intersección *y* que describa la relación. Explica el significado, en la vida real, de los valores de *a* y *b* en la ecuación.

b. Grafica tu ecuación. Usa la gráfica para hallar el número de horas que trabajaría el plomero por $225.

c. Describe cómo la ecuación y la gráfica cambiarían si el plomero no cobrara la tarifa fija de $45.

▶ **Solución** **a.** Si *x* representa las horas trabajadas y *y* representa el cargo total, entonces la ecuación es $y = 45 + 30x$. El valor de *a*, que es 45, es la tarifa fija. El valor de *b*, que es 30, es el cobro por hora.

b. Aquí se encuentra la gráfica. Para hallar el número de horas que trabajaría el plomero por $225, rastrea la gráfica hasta encontrar el punto cuyo valor *y* sea 225. El correspondiente valor *x*, 6, es el número de horas.

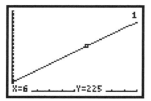

c. Si el plomero no cargara una tarifa fija, el valor *a* sería 0 y la ecuación tendría la forma $y = 30x$. La recta tendría la misma inclinación, pero como el cargo por 0 horas sería $0, pasaría por el origen (es decir, la intersección *y* sería 0).

LECCIÓN CONDENSADA 4.7

Ecuaciones lineales y razón de cambio

En esta lección

- usarás la **razón de cambio** para escribir una ecuación lineal para una situación
- aprenderás cómo la razón de cambio se relaciona con una ecuación lineal y su gráfica
- observarás cómo el valor a en $y = a + bx$ se relaciona con la gráfica

En la página 225 de tu libro se muestran ecuaciones lineales en forma de intersección y para algunas de las situaciones que has explorado en este capítulo. Para cada situación, piensa en qué representan las variables y lo que significan los valores de a y b.

En un día frío y ventoso, la temperatura que sientes es más fría que la real, debido a la sensación térmica (*wind chill*). En esta lección verás la relación entre la temperatura real y la sensación térmica. Para empezar, lee y sigue el Ejemplo A en tu libro.

Investigación: Sensación térmica

Pasos 1–4 En la tabla de la página 226 de tu libro se relacionan sensaciones térmicas aproximadas con diferentes temperaturas reales, cuando la velocidad del viento es de 15 millas por hora. Asignemos que la variable de entrada, x, sea la temperatura real en °F, y que la variable de salida, y, sea la temperatura de sensación térmica en °F.

Aquí se ve una gráfica de los datos en la ventana $[-10, 40, 5, -40, 20, 10]$.

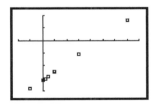

Para generar los valores en tu calculadora, puedes usar la siguiente rutina:

Presiona $\{-5, -38\}$ ⌷ENTER⌷.

Presiona $\{\text{Ans}(1) + 1, \text{Ans}(2) + 1.35\}$.

Presiona ⌷ENTER⌷ repetidamente.

La lista inicial, $\{-5, -38\}$, representa $-5°$F y su equivalente en sensación térmica. Con la rutina se hallan equivalentes en sensación térmica para las temperaturas de $-5°$, $-4°$, $-3°$, y así sucesivamente. Cada vez que aumenta la temperatura real en 1, la sensación térmica aumenta en 1.35.

En la siguiente tabla, hemos agregado columnas para mostrar el cambio en valores consecutivos de entrada y salida y en la razón de cambio.

(continúa)

Entrada	Salida	Cambio en valores de entrada	Cambio en valores de salida	Razón de cambio
−5	−38			
0	−31.25	5	6.75	$\frac{6.75}{5} = 1.35$
1	−29.9	1	1.35	$\frac{1.35}{1} = 1.35$
2	−28.55	1	1.35	$\frac{1.35}{1} = 1.35$
5	−24.5	3	4.05	$\frac{4.05}{3} = 1.35$
15	−11	10	13.5	$\frac{13.5}{10} = 1.35$
35	16	20	27	$\frac{27}{20} = 1.35$

Pasos 5–8 La razón de cambio es 1.35, lo que significa que la temperatura de sensación térmica aumenta en 1.35° por cada incremento de 1° en la temperatura real. La ecuación que relaciona la sensación térmica, x, con la temperatura real, y, es $y = -31.25 + 1.35x$.

La ecuación $y = -31.25 + 1.35x$ está escrita en forma de intersección y, $y = a + bx$. Observa que la regla para la rutina recursiva, "suma 1.35", aparece como el valor b de la ecuación. El valor incial de la rutina, −38, *no* es el valor de a en la ecuación. El valor de a es −31.25, la sensación térmica cuando la temperatura real es 0°.

Aquí se ha añadido la gráfica de $y = -31.25 + 1.35x$ a la gráfica de dispersión. Tiene sentido dibujar la recta que pasa por los puntos, pues toda temperatura posible tiene un equivalente en sensación térmica.

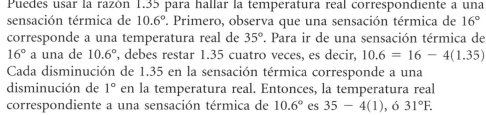

Observa que la intersección y de la gráfica, −31.25, es el valor de a en la ecuación.

Como has visto, la razón de cambio, 1.35, aparece como el valor de b, o el coeficiente de x, en la ecuación. En la gráfica, la razón de cambio es el número de unidades que te desplazas hacia arriba cada vez que te mueves 1 unidad a la derecha.

Puedes usar la razón 1.35 para hallar la temperatura real correspondiente a una sensación térmica de 10.6°. Primero, observa que una sensación térmica de 16° corresponde a una temperatura real de 35°. Para ir de una sensación térmica de 16° a una de 10.6°, debes restar 1.35 cuatro veces, es decir, $10.6 = 16 - 4(1.35)$. Cada disminución de 1.35 en la sensación térmica corresponde a una disminución de 1° en la temperatura real. Entonces, la temperatura real correspondiente a una sensación térmica de 10.6° es $35 - 4(1)$, ó 31°F.

El Ejemplo B explica detalladamente una situación parecida a la que viste en la investigación. Trabaja este ejemplo con cuidado y asegúrate de que lo entiendes.

Resolución de ecuaciones usando el método de balanceo

En esta lección

- usarás una balanza como **modelo para resolver una ecuación**
- resolverás ecuaciones usando el **método de balanceo**
- compararás varios métodos para resolver la misma ecuación

Has encontrado las soluciones de ecuaciones lineales por los métodos de rastrear gráficas, analizar tablas, y trabajar en orden inversa para deshacer operaciones. En esta lección explorarás cómo resolver ecuaciones usando el **método de balanceo.**

Investigación: Balanceo de monedas

El dibujo de una balanza de la página 233 de tu libro es un modelo visual de la ecuación $2x + 3 = 7$. Un vaso representa la variable x, y los *pennies* (monedas de un centavo) representan números. Cada vaso contiene el mismo número de pennies. Para resolver la ecuación, halla el número de pennies en cada vaso.

Pasos 1–3 Las ilustraciones siguientes muestran una manera de resolver la ecuación. Observa que en cada etapa se debe hacer lo mismo a ambos lados, de modo que la balanza permanezca en equilibrio.

Ilustración	Acción tomada	Ecuación
(+1) (+1)(+1)(+1) x x (+1)(+1) = (+1)(+1)(+1)(+1)	Equilibrio original.	$2x + 3 = 7$
x x = (+1)(+1)(+1)(+1)	Quita 3 pennies de cada lado.	$2x = 4$
x = (+1)(+1)	Quita la mitad de pennies de cada lado.	$x = 2$

Hay 2 pennies en cada vaso, de modo que 2 es la solución de la ecuación original.

Pasos 4–8 Puedes crear una ecuación con vasos y pennies. Primero, dibuja un signo igual grande y coloca el mismo número de pennies a cada lado. En un lado coloca algunas de los pennies en tres montones iguales, dejando fuera algunas pennies, y después coloca un vaso de papel encima de cada montón, escondiendo los montones. A continuación se muestra el arreglo que hizo un grupo.

x x x (+1)(+1) = (+1)(+1)(+1)(+1)
(+1)(+1)(+1)(+1)
(+1)(+1)(+1)(+1)
(+1)(+1)

(continúa)

Lección 4.8 • Resolución de ecuaciones usando el método de balanceo (continuación)

Esta configuración configura la ecuación $3x + 2 = 14$. Puedes resolver la ecuación (es decir, encontrar el número de pennies debajo de cada vaso) haciendo lo mismo en ambos lados del signo igual. (Considera esto como una balanza; necesitas hacer lo mismo a ambos lados para que la balanza permanezca equilibrada.)

Ilustración	Acción tomada	Ecuación
	Configuración original.	$3x + 2 = 14$
	Quita 2 pennies de cada lado.	$3x = 12$
	Divide cada lado entre 3.	$\dfrac{3x}{3} = \dfrac{12}{3}$
	Reduce (dejando un tercio en cada lado).	$x = 4$

La solución de $3x + 2 = 14$ es 4. Verifica esto sustituyendo 4 por x.

El modelo que utilizaste en la investigación funciona sólo cuando los números contenidos son enteros. En tu libro, en el texto que sigue a la investigación y en el Ejemplo A se muestra cómo puedes usar un modelo parecido para resolver ecuaciones que contienen enteros negativos. Lee este material y asegúrate de entenderlo.

Cuando te hayas acostumbrado a hacer lo mismo en ambos lados de una ecuación, puedes usar el método de balanceo sin necesidad de dibujos o modelos. Esto te permite resolver ecuaciones que implican fracciones o números negativos. En el Ejemplo B de tu libro se muestra cómo resolver una ecuación usando los cuatro métodos que conoces hasta ahora. Lee ese ejemplo. En el ejemplo siguiente se usa el método de balanceo para resolver otra ecuación.

EJEMPLO | Resuelve $7.4 - 20.2x = -1.69$, usando el método de balanceo.

▶ **Solución**

$$7.4 - 20.2x = -1.69 \qquad \text{Ecuación original.}$$

$$-7.4 + 7.4 - 20.2x = -1.69 + -7.4 \qquad \text{Suma } -7.4 \text{ en ambos lados.}$$

$$-20.2x = -9.09 \qquad \text{Resta.}$$

$$\frac{-20.2x}{-20.2} = \frac{-9.09}{-20.2} \qquad \text{Divide ambos lados entre } -20.2.$$

$$x = 0.45$$

Una fórmula para la pendiente

En esta lección

- aprenderás cómo calcular la **pendiente** de una recta dados dos puntos de la recta
- determinarás si un punto se encuentra en la misma recta que dos puntos dados
- encontrarás un punto en una recta, dados un punto conocido de la recta y la pendiente

En el Capítulo 4, viste que la razón de cambio de una recta puede ser una representación numérica y gráfica de un cambio real, como la velocidad de un auto. Mira las rectas y las ecuaciones que se muestran en la página 251 de tu libro. Como el coeficiente de x representa la razón de cambio de la recta, puedes hacer corresponder las ecuaciones con las rectas si te fijas en los coeficientes: cuanto más grande es el coeficiente, más inclinada es la recta.

La razón de cambio de una recta a menudo se conoce como su **pendiente.** Puedes encontrar la pendiente de una recta si conoces las coordenadas de dos puntos de la recta.

Investigación: Puntos y pendiente

Héctor paga una cantidad fija mensual más una tarifa por hora por el servicio de Internet. En la tabla de la página 251 de tu libro se muestra lo que Héctor paga en total cada tres meses. Debido a que la tarifa por hora es constante, se trata de una relación lineal. Para encontrar la tasa en dólares por hora, divide el cambio de tarifa entre el cambio en tiempo para dos meses. Por ejemplo, usando octubre y noviembre obtienes

$$\frac{28.55 - 19.70}{8 - 5} = \frac{8.85}{3} = 2.95$$

De modo que la tasa es $2.95 por hora. Verifica que obtienes el mismo resultado si usas los datos correspondientes a septiembre y octubre, o septiembre y noviembre.

He aquí una gráfica con los datos de Internet en la que una recta pasa por los puntos. Las flechas muestran cómo te puedes desplazar desde (5, 19.70) hasta (8, 28.55) usando un movimiento vertical y uno horizontal.

La longitud de la flecha vertical es 28.55 − 19.70 ó 8.85 unidades, que es el cambio en tarifa total de octubre a noviembre. La longitud de la flecha horizontal es 8 − 5 ó 3 unidades, que es el cambio en el número de horas de octubre a noviembre. Observa que las longitudes son las dos cantidades que dividimos para encontrar la tasa por hora. Esta tasa, 2.95, es la *pendiente* de la recta. El triángulo rectángulo creado al dibujar las flechas para mostrar los cambios vertical y horizontal se conoce como **triángulo pendiente.**

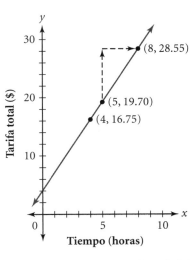

(continúa)

Lección 5.1 • Una fórmula para la pendiente (continuación)

A la derecha tienes la misma gráfica, pero ahora con flechas entre los puntos correspondientes a septiembre y octubre. Observa que la pendiente (o el cambio vertical dividido entre el cambio horizontal) es la misma. *Cualquier par de puntos de una recta dará la misma pendiente.*

Puedes hallar los cambios vertical y horizontal al restar las coordenadas *correspondientes*. Si uno de los puntos es (x_1, y_1) y el otro es (x_2, y_2), entonces la pendiente es

$$\frac{y_2 - y_1}{x_2 - x_1} \quad \text{ó} \quad \frac{y_1 - y_2}{x_1 - x_2}$$

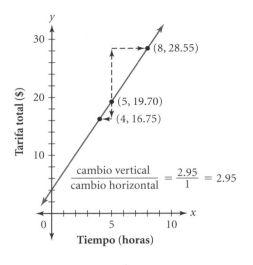

En la investigación, la pendiente de la recta es positiva. En el ejemplo de tu libro se tiene una recta con una pendiente negativa. Lee este ejemplo con cuidado. Aquí se presenta otro ejemplo.

EJEMPLO

Considera la recta que pasa por los puntos $(-2, 3)$ y $(4, -1)$.

a. Encuentra la pendiente de la recta.

b. Sin graficar, verifica que el punto $\left(3, -\frac{1}{3}\right)$ está en la recta.

c. Encuentra las coordenadas de otro punto de la recta.

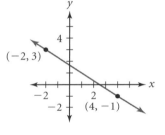

▶ Solución

a. Pendiente $= \dfrac{-1 - 3}{4 - (-2)} = \dfrac{-4}{6} = -\dfrac{2}{3}$

b. La pendiente entre cualesquiera dos puntos será la misma. Así, si la pendiente entre $\left(3, -\frac{1}{3}\right)$ y cualquiera de los puntos originales es $-\frac{2}{3}$, entonces el punto está en la recta. La pendiente entre $\left(3, -\frac{1}{3}\right)$ y $(4, -1)$ es

$$\frac{-1 - \left(-\dfrac{1}{3}\right)}{4 - 3} = \frac{-\dfrac{2}{3}}{1} = -\frac{2}{3}$$

Entonces, el punto $\left(3, -\frac{1}{3}\right)$ está en la recta.

c. Empieza con uno de los puntos originales. Suma el cambio en x a la coordenada x y el cambio en y a la coordenada y. Empecemos con $(-2, 3)$.

$(-2 + \text{cambio en } x, 3 + \text{cambio en } y) = (-2 + 6, 3 + (-4)) = (4, -1)$

Entonces, el punto $(4, -1)$ está en la recta.

Lee el resto de la Lección 5.1 en tu libro. Asegúrate de que entiendes cómo puedes determinar, mirando la recta, si la pendiente es positiva, negativa, cero, o indefinida. Observa que cuando la ecuación de una recta está escrita en la forma $y = a + bx$, la letra b representa la pendiente.

Discovering Algebra Condensed Lessons in Spanish
©2004 Key Curriculum Press

Escritura de una ecuación lineal para ajustar datos

En esta lección

- encontrarás una **recta de ajuste** para un conjunto de datos
- usarás un **modelo lineal** para hacer predicciones
- aprenderás sobre la forma **pendiente-intersección** de una ecuación

Raramente los datos de la vida real caen exactamente en una recta. Sin embargo, si los datos muestran un patrón lineal, puedes hallar una recta para modelar los datos. A esta recta se le llama **recta de ajuste** (*line of fit*) de los datos. Lee la información sobre las rectas de ajuste en la página 261 de tu libro.

Investigación: Resistencia de vigas

Pasos 1–3 En esta investigación, los estudiantes hacen "vigas" a partir de diferentes cantidades de tiras de espagueti. Luego prueban cada viga para ver cuántos *pennies* (monedas de 1 centavo) la viga puede soportar antes de quebrarse. Aquí se encuentran los datos obtenidos por un grupo de estudiantes.

Pasos 4–8 Puedes hacer una gráfica de dispersión con los datos en una calculadora graficadora o en papel.

Número de tiras	Número de pennies
1	10
2	16
3	28
4	34
5	41
6	46

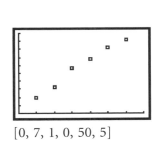

[0, 7, 1, 0, 50, 5]

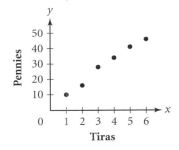

Acomoda una tira de espagueti en tu dibujo de modo que encuentres una recta que, según tu criterio, se ajuste a los datos. Haz que tu recta pase por dos puntos. Usa las coordenadas de los dos puntos para encontrar la pendiente. En el ejemplo siguiente, la recta pasa por $(1, 10)$ y $(5, 41)$. La pendiente es $\frac{41 - 10}{5 - 1}$ ó 7.75.

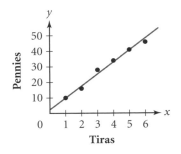

(continúa)

Usa la pendiente, *b*, para graficar la ecuación $y = bx$ en tu calculadora. Para la recta anterior, ésta es $y = 7.75x$.

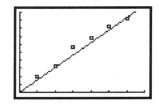

Observa que esta recta está un poco baja para ajustarse a los datos. Usando el dibujo anterior, puedes estimar que la intersección *y, a,* de la recta de ajuste es aproximadamente 2. Entonces la ecuación de la recta de ajuste en forma de intersección *y* es aproximadamente $y = 2 + 7.75x$. Grafica esta ecuación en tu calculadora. Esta recta parece ser un buen ajuste. En algunos casos, necesitarás ajustar el valor de la intersección varias veces, hasta que estés conforme con el ajuste.

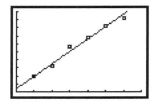

Observa que la ecuación con la que te quedaste depende de dos puntos de datos por los que tu recta pasa, y de tu estimación de la intersección *y*. Diferentes personas obtendrán diferentes ecuaciones.

Pasos 9–12   La recta de ajuste que encontraste, $y = 2 + 7.75x$, es un *modelo* para la relación entre el número de tiras en la viga, *x*, y el número de pennies que la viga soporta, *y*. La pendiente, 7.75, representa el incremento que debe haber en la cantidad de monedas cada vez que agregas una tira a la viga.

Puedes usar la recta de ajuste para hacer predicciones. Para predecir el número de tiras necesarias para soportar $5 en pennies (500 pennies), recorre la gráfica para hallar el valor *x* correspondiente a un valor *y* de 500, o resuelve la ecuación $500 = 7.75x + 2$. Se necesitarían unas 64 tiras para soportar este peso.

El modelo predice que una viga de 10 tiras puede soportar $7.75(10) + 2$ ó aproximadamente 80 pennies. Una viga de 17 tiras puede soportar $7.75(17) + 2$ ó unas 134 pennies.

Ahora sigue el ejemplo en tu libro. Te muestra cómo ajustar una recta a un conjunto diferente de datos.

Para hallar la recta de ajuste en la investigación, iniciamos con la pendiente y luego hallamos la intersección *y*. Debido a la importancia de la pendiente, muchas personas usan la **forma pendiente-intersección** (*slope-intercept form*) de una ecuación lineal, la cual presenta la pendiente primero. En esta forma, *m* representa la pendiente y *b* representa la intersección *y*. La forma pendiente-intersección es $y = mx + b$.

Forma punto-pendiente de una ecuación lineal

En esta lección

- escribirás ecuaciones en **forma punto-pendiente**
- encontrarás la ecuación de una recta, dados un punto de la recta y la pendiente
- encontrarás la ecuación de una recta, dados dos puntos de la recta

Si se te da la pendiente y la intersección y de una recta, es fácil escribir una ecuación para la recta. El ejemplo en tu libro muestra cómo puedes encontrar una ecuación cuando conoces un punto y la pendiente. A continuación se presenta un ejemplo adicional.

EJEMPLO

Cuando Rosi compró su computadora, hizo un pago inicial y después pagos de $65 por mes. Después de 5 meses, había pagado $450. Después de 18 meses, la computadora estaba pagada. ¿Cuál es la cantidad total que Rosi pagó por la computadora?

▸ **Solución**

Como la razón de cambio es constante ($65 por mes), puedes modelar esta relación con una ecuación lineal. Asignemos que x represente el tiempo en meses y que y represente la cantidad pagada.

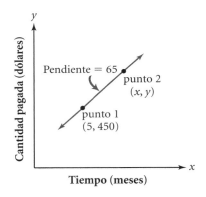

En el problema se dan la pendiente, 65, y un punto, (5, 450). Asignemos que (x, y) sea un segundo punto de la recta; usa la fórmula para la pendiente, $\frac{y_2 - y_1}{x_2 - x_1} = b$, para encontrar una ecuación lineal.

$$\frac{y - 450}{x - 5} = 65$$ 　　　Sustituye las coordenadas de los puntos.

$$(x - 5)\frac{y - 450}{x - 5} = 65(x - 5)$$ 　　　Multiplica ambos lados por $(x - 5)$.

$$y - 450 = 65(x - 5)$$ 　　　Reduce.

$$y = 450 + 65(x - 5)$$ 　　　Suma 450 en ambos lados.

La ecuación $y = 450 + 65(x - 5)$ da la cantidad total pagada, y, en x meses. Para encontrar la cantidad total que Rosi pagó en 18 meses, sustituye x por 18.

$$y = 450 + 65(x - 5) = 450 + 65(18 - 5) = 450 + 65(13) = 450 + 845 = 1295$$

Rosi pagó un total de $1295 por su computadora.

La ecuación $y = 450 + 65(x - 5)$ está en **forma punto-pendiente.** Lee sobre la forma punto-pendiente en la página 271 de tu libro.

(continúa)

Lección 5.3 • Forma punto-pendiente de una ecuación lineal (continuación)

Investigación: La forma punto-pendiente para ecuaciones lineales

Pasos 1–5   Jenny se desplaza a una velocidad constante. En la tabla de la página 271 de tu libro, se presentan las distancias de Jenny a partir de un punto fijo después de 3 segundos y después de 6 segundos de iniciado el desplazamiento.

La pendiente de la recta que representa esta situación es $\frac{2.8 - 4.6}{6 - 3}$ ó -0.6.

Si usas el punto (3, 4.6), la ecuación para esta situación en forma punto-pendiente es $y = 4.6 - 0.6(x - 3)$.

Si usas el punto (6, 2.8), la ecuación es $y = 2.8 - 0.6(x - 6)$.

Introduce ambas ecuaciones en tu calculadora y grafícalas. Verás sólo una recta, lo cual indica que las ecuaciones son equivalentes.

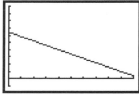

$[0, 10, 1, -1, 10, 1]$

Ahora, mira la tabla correspondiente a las dos ecuaciones. Observa que para cada valor x, los valores Y_1 y Y_2 son los mismos. Esto también indica que las ecuaciones $y = 4.6 - 0.6(x - 3)$ y $y = 2.8 - 0.6(x - 6)$ son equivalentes.

Pasos 6–9   En la tabla de la página 272 de tu libro se muestra como la temperatura de una olla de agua cambió con el tiempo, mientras se calentaba. Si graficas los datos en tu calculadora, verás un patrón lineal.

Toma un par de puntos de datos. En este ejemplo usaremos (49, 35) y (62, 40). La pendiente de la recta que pasa por estos puntos es

$$\frac{40 - 35}{62 - 49} = \frac{5}{13} \approx 0.38$$

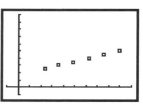

$[-10, 100, 10, -10, 100, 10]$

Usando el punto (49, 35), la ecuación de la recta en forma punto-pendiente es $y = 35 + 0.38(x - 49)$. Si graficas esta ecuación, verás que la recta se ajusta a los datos bastante bien.

Ahora toma un par de puntos diferente. Encuentra una ecuación para la recta que pasa por ellos y grafica la ecuación en tu calculadora. ¿Una de las ecuaciones se ajusta a los datos mejor que la otra?

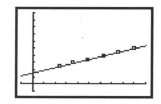

LECCIÓN CONDENSADA 5.4

Ecuaciones algebraicas equivalentes

En esta lección

- determinarás si las ecuaciones dadas son **equivalentes**
- reescribirás ecuaciones lineales en **forma de intersección** y
- usarás algunas **propiedades matemáticas** para reescribir y resolver ecuaciones

Has visto que más de una ecuación puede representar la misma recta. En esta lección aprenderás a reconocer ecuaciones equivalentes usando propiedades matemáticas y las reglas del orden de las operaciones.

Investigación: Ecuaciones equivalentes

En la página 276 de tu libro hay seis ecuaciones. Aunque tales ecuaciones se ven muy distintos, todas son equivalentes. Para ver esto, usa la propiedad distributiva para reescribir cada ecuación en forma de intersección y.

a. $y = 3 - 2(x - 1)$

$\quad = 3 - 2x + 2$

$\quad = 5 - 2x$

b. $y = -5 - 2(x - 5)$

$\quad = -5 - 2x + 10$

$\quad = 5 - 2x$

c. $y = 9 - 2(x + 2)$

$\quad = 9 - 2x - 4$

$\quad = 5 - 2x$

d. $y = 0 - 2(x - 2.5)$

$\quad = 0 - 2x + 5$

$\quad = 5 - 2x$

e. $y = 7 - 2(x + 1)$

$\quad = 7 - 2x - 2$

$\quad = 5 - 2x$

f. $y = -9 - 2(x - 7)$

$\quad = -9 - 2x + 14$

$\quad = 5 - 2x$

Todas las ecuaciones son equivalentes a $y = 5 - 2x$. Para verificar que cada ecuación original es equivalente a $y = 5 - 2x$, introduce ambas ecuaciones en tu calculadora y grafícalas. Obtendrás la misma recta, lo que indica que los mismos valores satisfacen ambas ecuaciones.

Ahora mira las ecuaciones a–o de la página 277 de tu libro. Estas ecuaciones representan sólo cuatro rectas diferentes. Para encontrar las ecuaciones equivalentes, escribe cada ecuación en forma de intersección y. Debes obtener los siguientes resultados.

Ecuaciones a, m, i, y l son equivalentes a $y = -5 + 2x$.

Ecuaciones b, d, g, y k son equivalentes a $y = 2 + 2x$.

Ecuaciones e, j, y n son equivalentes a $y = -3 - 6x$.

Ecuaciones c, f, h, y o son equivalentes a $y = 4 - 6x$.

(continúa)

Lección 5.4 • Ecuaciones algebraicas equivalentes (continuación)

En las ecuaciones h y j, x y y están en el mismo lado de la ecuación, y el otro lado es constante. Estas ecuaciones están en **forma estándar.** He aquí los pasos para reescribir la ecuación j.

$$12x + 2y = -6 \qquad \text{Ecuación original.}$$

$$12x - 12x + 2y = -6 - 12x \qquad \text{Resta } 12x \text{ de ambos lados.}$$

$$2y = -6 - 12x$$

$$\frac{2y}{2} = \frac{-6 - 12x}{2} \qquad \text{Divide ambos lados entre 2.}$$

$$y = -3 - 6x$$

En la investigación viste que, sin importar en qué forma esté dada una ecuación lineal, puedes reescribirla en forma de intersección y. Cuando las ecuaciones están en forma de intersección y, es fácil ver si son equivalentes. En la página 278 de tu libro se revisan las propiedades que te permiten reescribir (y resolver) ecuaciones. Lee estas propiedades y los ejemplos que siguen. Aquí tienes dos ejemplos más.

EJEMPLO C | ¿Es $21x + 3y = 12$ equivalente a $y = -10 - 7(x - 1)$?

▶ **Solución** | Reescribe $21x + 3y = 12$ en forma de intersección y.

$$21x + 3y = 12 \qquad \text{Ecuación original.}$$

$$21x - 21x + 3y = 12 - 21x \qquad \text{Resta } 21x \text{ de ambos lados.}$$

$$3y = 12 - 21x \qquad \text{La expresión } 21x - 21x \text{ es 0.}$$

$$\frac{3y}{3} = \frac{12 - 21x}{3} \qquad \text{Divide ambos lados entre 3.}$$

$$y = 4 - 7x \qquad \text{Divide 12 entre 3 y } -21x \text{ entre 3.}$$

Reescribe $y = -10 - 7(x - 1)$ en forma de intersección y.

$$y = -10 - 7(x - 1) \qquad \text{Ecuación original.}$$

$$y = -10 - 7x + 7 \qquad \text{Propiedad distributiva.}$$

$$y = -3 - 7x \qquad \text{Suma } -10 \text{ y 7.}$$

Las ecuaciones no son equivalentes.

EJEMPLO D | Resuelve $\frac{4(2x - 3)}{7} = 4$. Identifica la propiedad de la igualdad usada en cada paso.

$$\frac{4(2x - 3)}{7} = 4 \qquad \text{Ecuación original.}$$

$$4(2x - 3) = 28 \qquad \text{Propiedad multiplicativa (multiplica ambos lados por 7).}$$

$$2x - 3 = 7 \qquad \text{Propiedad de la división (divide ambos lados entre 4).}$$

$$2x = 10 \qquad \text{Propiedad aditiva (suma 3 en ambos lados).}$$

$$x = 5 \qquad \text{Propiedad de la división (divide ambos lados entre 2).}$$

Escritura de ecuaciones punto-pendiente para ajustar datos

En esta lección

- escribirás **ecuaciones punto-pendiente** para ajustar datos
- usarás ecuaciones de rectas de ajuste para hacer predicciones
- compararás dos métodos para ajustar rectas a datos

En esta lección obtienes más práctica en el uso de la forma punto-pendiente para modelar datos. Podrás encontrar que el uso de la forma punto-pendiente es más eficiente que el uso de la forma de intersección *y*, porque no tienes que escribir primero una ecuación de variación directa y luego ajustarla con respecto a la intersección.

Investigación: Esperanza de vida

Pasos 1–4 En la tabla de la página 284 de tu libro se muestra la relación entre el número de años que una persona esperaría vivir y el año en que esa persona nació.

Grafica los datos correspondientes a la esperanza de vida feminina en la ventana [1930, 2010, 10, 55, 85, 5].

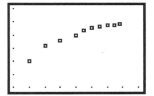

Busca dos puntos de la gráfica tales que la recta que pase por tales puntos refleje fielmente el patrón de todos los puntos. Por ejemplo, usaremos (1970, 74.7) y (1990, 78.8). La pendiente de la recta que pasa por estos puntos es

$$\frac{78.8 - 74.7}{1990 - 1970} = \frac{4.1}{20} = 0.205$$

Usando el punto (1970, 74.7), puedes escribir la ecuación $y = 74.7 + 0.205(x - 1970)$.

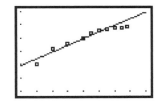

Para predecir la esperanza de vida de una hembra que nacerá en el año 2022, sustituye 2022 por *x* en la ecuación.

$$y = 74.7 + 0.205(x - 1970)$$

$$= 74.7 + 0.205(2022 - 1970)$$

$$= 74.7 + 0.205(52)$$

$$= 74.7 + 10.66 = 85.36$$

La ecuación predice que una hembra nacida en 2022 tendrá una esperanza de vida de 85.36 años.

Pasos 5–8 Si hubiéramos escogido otro par de puntos, habríamos encontrado una ecuación diferente y habríamos hecho una predicción diferente sobre la esperanza de vida. Por ejemplo, si hubiéramos usado (1950, 71.1) y (1995, 78.9), habríamos obtenido la pendiente $\frac{78.9 - 71.1}{1995 - 1950} = \frac{7.8}{45} \approx 0.173$ y la ecuación $y = 71.1 + 0.173(x - 1950)$. Esta ecuación predice una esperanza de vida de aproximadamente 83.56 años para una hembra nacida en 2022.

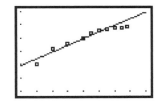

(continúa)

Ahora, encuentra las ecuaciones de las rectas de ajuste correspondientes a los datos masculinos y los datos combinados. Aquí se encuentran las ecuaciones para estos tres conjuntos de datos, usando los puntos para 1970 y 1990.

Hembras: $\quad\quad y = 74.7 + 0.205(x - 1970)$

Varones: $\quad\quad y = 67.1 + 0.235(x - 1970)$

Combinados: $\quad y = 70.8 + 0.23(x - 1970)$

Observa que las pendientes de las tres rectas se acercan a 0.2, lo que indica que la esperanza de vida aumenta unos 0.2 años por cada incremento de edad de 1 año, independientemente del género.

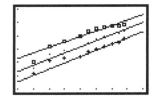

En esta gráfica se muestran los tres conjuntos de datos y las tres rectas graficadas en la misma ventana. Los datos de las hembras se grafican con cuadrados, los datos de los varones se grafican con cruces, y los datos combinados se grafican con puntos.

Observa que la recta para los datos combinados se ubica entre las otras dos. Esto es lógico, porque la esperanza de vida combinada para varones y hembras debe estar entre la esperanza de vida para hembras y la esperanza de vida para varones.

Has utilizado dos métodos para hallar la ecuación de una recta de ajuste. Un método usa la forma de intersección y, y el otro usa la forma punto-pendiente. En el método de la forma de intersección y (que usaste en la investigación "vigas de espagueti"), encontraste una recta paralela a la recta de ajuste y luego la ajustaste hacia arriba o hacia abajo, haciendo estimaciones, para ajustarse a los puntos. En el método punto-pendiente, obtienes una ecuación sin hacer ningún ajuste, pero puedes encontrar que la recta no se ajusta a los datos tan bien como quisieras.

Más sobre la modelación

En esta lección

- usarás **puntos Q** para ajustar una recta a un conjunto de datos
- usarás una recta de ajuste para hacer predicciones

En este capítulo, en varias ocasiones has encontrado la ecuación de una recta de ajuste para un conjunto de datos. Probablemente hallaste que tú y tus compañeros de clase a menudo escribieron diferentes ecuaciones, a pesar de que trabajaban con los mismos datos. En esta investigación aprenderás un método sistemático para encontrar la ecuación de una recta de ajuste. Este método siempre da la misma ecuación para un conjunto dado de datos.

Investigación: ¡¡¡¡FUEGO!!!!

Pasos 1–3 En esta investigación, los estudiantes forman una fila y apuntan el tiempo que se necesita para pasar una cubeta de un extremo de la fila al otro. Después de cada intento, una parte de los estudiantes toma asientos y los que quedan repiten el experimento. A continuación se presentan los datos reunidos por los estudiantes de una aula y la gráfica de los datos.

Número de personas, x	Tiempo de paso (seg), y
22	16
21	18
18	12
16	14
15	12
13	11
12	9
11	7
8	8
5	4

Pasos 4–13 Puedes usar los cuartiles de los valores x y y para ajustar una recta a los datos. Primero encuentra el resumen de cinco números. El resumen de cinco números para los valores x es 5, 11, 14, 18, 22. El resumen de cinco números para los valores y es 4, 8, 11.5, 14, 18. Usa estos valores para agregar diagramas de caja horizontales y verticales a la gráfica.

(continúa)

A continuación, dibuja rectas verticales desde los valores de Q1 y Q3 en el diagrama de caja del eje *x*, y rectas horizontales desde los valores de Q1 y Q3 en el diagrama de caja del eje *y*. Estas rectas forman un rectángulo; los vértices de este rectángulo se llaman **puntos Q.** Los puntos Q pueden o no ser puntos reales del conjunto de datos. Observa que cualquiera que empiece con estos datos obtendrá los mismos puntos Q.

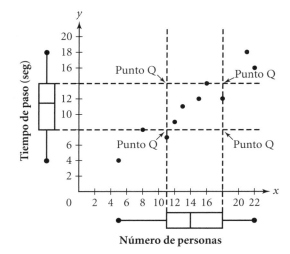

Finalmente, traza la diagonal del rectángulo que indique la dirección de los datos. Ésta es una recta de ajuste para los datos.

Usa las coordenadas de los puntos Q (11, 8) y (18, 14) para escribir una ecuación para esta recta. La pendiente es $\frac{14 - 8}{18 - 11}$ ó $\frac{6}{7}$, de modo que una ecuación es $y = 8 + \frac{6}{7}(x - 11)$. En forma de intersección *y*, ésta es $y = -1\frac{3}{7} + \frac{6}{7}x$. La pendiente representa el número de segundos que lleva a cada persona pasar la cubeta. La intersección *y* representa el tiempo que lleva a 0 personas pasar una cubeta. En este caso, la intersección *y* es un número negativo, que no tiene sentido en la situación real. Esto muestra que un modelo sólo aproxima lo que realmente sucede.

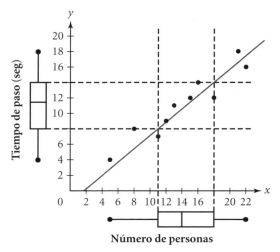

Ahora usa tu calculadora para graficar los puntos de datos, trazar rectas verticales y horizontales por los cuartiles, y encontrar una recta de ajuste. (Consulta **Calculator Note 5B** para ayuda sobre cómo usar el menú dibujar.)

El ejemplo de tu libro usa el método de puntos Q para ajustar una recta al conjunto de datos. Lee este ejemplo y asegúrate de que lo entiendes.

LECCIÓN CONDENSADA 5.7

Aplicaciones de la modelación

En esta lección

- usarás y compararás tres métodos para hallar una recta de ajuste para un conjunto de datos
- usarás modelos lineales para hacer predicciones

Ya conoces varios métodos para ajustar una recta a los datos. En esta lección practicarás y compararás tales modelos.

Investigación: ¿Cuál es la recta de ajuste?

Las tablas de la página 296 de tu libro muestran cómo el diámetro de la pupila de una persona cambia con los años. La Tabla 1 muestra los diámetros de la pupila a la luz del día. La Tabla 2 muestra los diámetros de la pupila por la noche. Aquí trabajaremos con los datos de la Tabla 2.

Pasos 1–2 Primero encontrarás una recta de ajuste a simple observacíon de los datos. Grafica los datos en papel cuadriculado. Después coloca una tira de espagueti sobre la gráfica, de modo que cruce el eje y y siga la dirección de los datos. Aquí tienes un ejemplo.

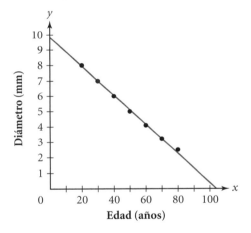

Esta recta cruza el eje y aproximadamente en $(0, 9.8)$. El punto $(30, 7)$ también está en la recta. La pendiente de la recta que pasa por estos puntos es $\frac{7 - 9.8}{30 - 0}$ ó aproximadamente -0.093. Entonces, la ecuación de esta recta en forma de intersección y es $y = 9.8 - 0.093x$.

Pasos 3–4 Ahora ajustarás una recta usando puntos de datos "representativos". Usa tu calculadora con la ventana $[0, 100, 10, 0, 10, 1]$ para hacer una gráfica de dispersión de los datos.

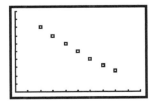

(continúa)

Lección 5.7 • Aplicaciones de la modelación (continuación)

Escoge dos puntos que te parece reflejan la dirección de los datos. Por ejemplo, podrías usar (30, 7.0) y (60, 4.1). La pendiente de la recta que pasa por estos puntos es $\frac{4.1 - 7.0}{60 - 30}$ ó aproximadamente -0.097. La ecuación para la recta que pasa por estos puntos en forma punto-pendiente es $y = 7 - 0.097(x - 30)$. Al reescribirla en forma de intersección y, se obtiene $y = 9.91 - 0.097x$.

Pasos 5–6 Luego encontrarás una recta de ajuste usando puntos Q. El resumen de cinco números de los valores x es 20, 30, 50, 70, 80, de modo que Q1 y Q3 son 30 y 70. El resumen de cinco números de los valores y es 2.5, 3.2, 5.0, 7.0, 8.0, de modo que Q1 y Q3 son 3.2 y 7.0. Usa estos valores para dibujar un rectángulo en la gráfica. Después traza la diagonal que refleje la dirección de los datos. La diagonal pasa por (30, 7.0) y (70, 3.2).

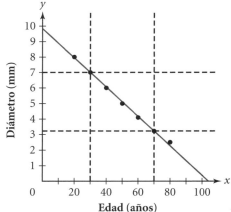

La pendiente de esta recta es $\frac{3.2 - 7.0}{70 - 30}$ ó -0.095. La ecuación para esta recta en forma punto-pendiente es $y = 7 - 0.095(x - 30)$. Al reescribirla en forma de intersección y, se tiene $y = 9.85 - 0.095x$.

Pasos 7–13 En los modelos lineales anteriores, la pendiente indica el cambio en el diámetro de la pupila por cada incremento en edad de 1 año. Los tres métodos dieron valores ligeramente diferentes para la pendiente (-0.093, -0.097, y -0.095). La intersección y de cada modelo representa el diámetro de la pupila al nacer (edad 0). Estos valores también son ligeramente diferentes para los tres modelos (9.8, 9.91, y 9.85.)

Puedes usar cualquiera de los tres modelos para predecir la edad de una persona cuando el diámetro nocturno de su pupila es de unos 4.5 mm. Por ejemplo, para predecir la edad de una persona usando el primer modelo, $y = 9.8 - 0.093x$, resuelve $4.5 = 9.8 - 0.093x$. La solución es aproximadamente 57, de manera que el diámetro nocturno de la pupila de una persona es de 4.5 mm cuando tal individuo tiene más o menos 57 años.

Si cambia la intersección y de una ecuación, entonces aumentan o disminuyen todas las coordenadas y por la misma cantidad. Por ejemplo, si la intersección y del primer modelo, $y = 9.8 - 0.093x$, cambia a 9.3, la ecuación es $y = 9.3 - 0.093x$. La coordenada y de cada punto en esta segunda recta es 0.5 mm menor que la coordenada y de ese punto en la recta original. Para una persona de 45 años, la primera ecuación da un diámetro de pupila de 5.615 mm, y la segunda ecuación da un diámetro de pupila de 5.115 mm.

Un pequeño cambio en la pendiente tiene poco efecto en los puntos cercanos a los puntos de datos, pero el efecto se magnifica en los puntos sobre la recta más alejados de los puntos de datos. Para los datos de la investigación, valores de edad mucho mayores a 80 no tienen sentido en el mundo real. Sin embargo, podrías cambiar ligeramente el valor de la pendiente de uno de los modelos y luego sustituir valores de edad de 100, 200, y así sucesivamente para ver el efecto del cambio.

Resolución de sistemas de ecuaciones

En esta lección

- representarás situaciones con **sistemas de ecuaciones**
- usarás tablas y gráficas para **resolver sistemas de ecuaciones lineales**

Un **sistema de ecuaciones** es un conjunto de dos o más ecuaciones con las mismas variables. Una solución de un sistema de ecuaciones es un conjunto de valores que hacen que todas las ecuaciones sean ciertas. Lee el ejemplo de tu libro y luego lee el ejemplo siguiente.

EJEMPLO

Según el plan de llamadas de larga distancia CuandoQuiera, se cobra $4.80 por mes más 5¢ el minuto. Según el plan HablaMás, se cobra 9¢ el minuto y no hay cargo mensual. ¿Para qué cantidad de minutos el cobro de los dos planes es el mismo?

a. Escribe un sistema de dos ecuaciones para modelar esta situación.

b. Resuelve el sistema mediante la creación de una tabla. Explica el significado práctico de la solución y localiza la solución en una gráfica.

▶ **Solución**

a. Asignemos que x sea el número de minutos y y sea el cobro en dólares. El cobro es el cargo mensual más la tasa por el número de minutos. Aquí se muestra el sistema de ecuaciones.

$$\begin{cases} y = 4.80 + 0.05x & \text{Plan CuandoQuiera} \\ y = 0.09x & \text{Plan HablaMás} \end{cases}$$

b. Crea una tabla a partir de las ecuaciones. Coloca en ella los valores del tiempo y calcula el cobro según cada plan. En la tabla se muestra que cuando $x = 120$, los dos valores de y son 10.80. Como el punto (120, 10.80) satisface ambas ecuaciones, ésta es la solución del sistema. La solución significa que ambos planes cobran $10.80 por 120 minutos de llamadas de larga distancia.

En la gráfica, la solución es el punto donde las dos rectas se intersecan.

Planes de larga distancia

Tiempo (min)	CuandoQuiera $y = 4.80 + 0.05x$	HablaMás $y = 0.09x$
0	4.80	0
30	6.30	2.70
60	7.80	5.40
90	9.30	8.10
120	10.80	10.80
150	12.30	13.50

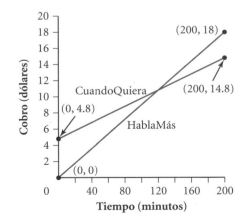

(continúa)

Lección 6.1 • Resolución de sistemas de ecuaciones (continuación)

Investigación: ¿Dónde se encontrarán?

Pasos 1–4 En esta investigación, dos estudiantes caminan a lo largo de un trayecto de 6 metros. El Caminante A empieza en la marca de 0.5 metros y camina hacia la marca de 6 metros a tasa de 1 m/seg. El Caminante B empieza en la marca de 2 metros y camina hacia la marca de 6 metros a tasa de 0.5 m/seg. Aquí se muestra una gráfica de los datos obtenidos por un grupo.

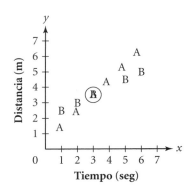

Pasos 5–7 Puedes modelar esta situación con un sistema de ecuaciones y después resolver el sistema para determinar cuándo y dónde el Caminante A rebasa al Caminante B. Si x representa el tiempo en segundos y y representa la distancia desde la marca de 0 metros, el sistema es

$$\begin{cases} y = 0.5 + x & \text{Caminante A} \\ y = 2 + 0.5x & \text{Caminante B} \end{cases}$$

Aquí se presentan unas gráficas de las ecuaciones en los mismos ejes. Las gráficas se intersecan en (3, 3.5), lo que indica que el Caminante A rebasa al Caminante B después de 3 segundos, cuando ambos caminantes están en la marca de 3.5 metros.

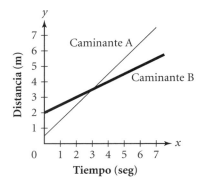

Pasos 8–10 Si el Caminante A se desplazara más rápido que 1 m/seg, la pendiente de la recta del Caminante A aumentaría, y el punto de intersección se acercaría al origen, indicando que el Caminante A rebasa al Caminante B más pronto y más cerca a la marca de 0 metros.

Si los dos caminantes se desplazaran a la misma velocidad, nunca se encontrarían. Las pendientes de las rectas serían iguales, de modo que las rectas serían paralelas. El sistema de ecuaciones para esta situación no tiene solución.

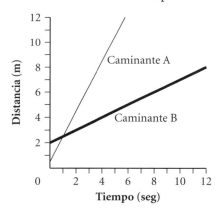

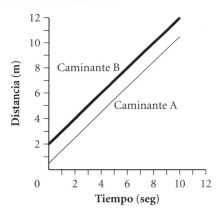

Si ambos caminantes se desplazaran a la misma velocidad desde la misma marca inicial, las dos rectas serían idénticas. Cada punto de la recta es una solución del sistema, lo que indica que los caminantes siempre están en el mismo lugar al mismo tiempo.

En la investigación se muestra que dos rectas pueden intersecarse en cero puntos, en un punto, o en todos los puntos. Entonces, un sistema de ecuaciones lineales puede tener cero, una, o una infinidad de soluciones.

Resolución de sistemas de ecuaciones mediante la sustitución

En esta lección

- representarás situaciones con **sistemas de ecuaciones**
- usarás el **método de sustitución** para resolver sistemas de ecuaciones lineales

Si usas una gráfica o una tabla para resolver un sistema de ecuaciones, tal vez sólo puedas encontrar una solución aproximada. El **método de sustitución** te permite encontrar la solución exacta de un sistema. Lee el Ejemplo A en tu libro, en el cual se explica cómo resolver un sistema usando el método de sustitución.

Investigación: Todo amarrado

Empieza con una cuerda delgada y una gruesa, cada una de 1 metro de largo. Si haces unos nudos en cada cuerda y mides la longitud después de cada nudo, podrías obtener datos como estos.

Usa las técnicas que aprendiste en el Capítulo 5 para escribir una ecuación para modelar los datos de cada cuerda.

Un modelo posible para la cuerda delgada es $y = 100 - 6x$, donde x es el número de nudos y y es la longitud en centímetros. La intersección y, 100, es la longitud de la cuerda antes de hacer cualquier nudo. La pendiente, -6, es el cambio en longitud después de cada nudo.

Cuerda delgada		Cuerda gruesa	
Número de nudos	Longitud (cm)	Número de nudos	Longitud (cm)
0	100	0	100
1	94	1	89.7
2	88	2	78.7
3	81.3	3	68.6
4	75.7	4	57.4
5	69.9	5	47.8
6	63.5	6	38.1

Un modelo posible para la cuerda gruesa es $y = 100 - 10.3x$. Esta ecuación indica que la longitud inicial es 100 cm y que ésta disminuye en 10.3 cm con cada nudo.

Supón que la longitud inicial de la cuerda delgada es 9 m y que la longitud inicial de la cuerda gruesa es 10 m. Este sistema de ecuaciones modela esta situación.

$$\begin{cases} y = 900 - 6x & \text{Longitud de la cuerda delgada} \\ y = 1000 - 10.3x & \text{Longitud de la cuerda gruesa} \end{cases}$$

Para estimar la solución de este sistema, haz una gráfica y estima el punto de intersección. El punto de intersección es aproximadamente (23, 760).

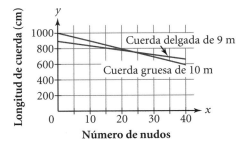

También puedes encontrar la solución usando el método de sustitución. Sustituye y en la segunda ecuación por $900 - 6x$, y resuelve la ecuación resultante.

$y = 1000 - 10.3x$	Segunda ecuación original.
$900 - 6x = 1000 - 10.3x$	Sustituye y por $900 - 6x$.
$900 = 1000 - 4.3x$	Suma $6x$ a ambos lados y simplifica.
$-100 = -4.3x$	Resta 1000 de ambos lados.
$23.26 \approx x$	Divide ambos lados entre -4.3.

(continúa)

Como x representa el número de nudos, la solución debe ser un número entero. Así que redondea x a 23. Cuando x es 23, y es aproximadamente 760. Entonces, la solución es (23, 760). Esto significa que, cuando se han hecho 23 nudos en cada cuerda, las cuerdas tienen más o menos la misma longitud, 760 cm.

Piensa en cómo cambiarían los modelos si las dos cuerdas tuvieran el mismo grosor. En esta situación las pendientes serían iguales, de modo que las rectas serían paralelas. En este caso, el sistema no tendría soluciones. En otras palabras, las cuerdas nunca tendrían la misma longitud.

Si las cuerdas tuvieran el mismo grosor y la misma longitud inicial, las ecuaciones y las rectas serían iguales. En este caso existen muchas soluciones. Las cuerdas tendrían la misma longitud después de hacerles cualquier número de nudos.

Cuando resuelves un sistema usando el método de sustitución, en ocasiones necesitas reescribir una de las ecuaciones, antes de que puedas sustituir. En el Ejemplo B de tu libro se muestra cómo resolver un sistema cuando ambas ecuaciones están dadas en forma estándar. Lee ese ejemplo y el texto siguiente atentamente. Después lee el ejemplo que sigue en este texto.

EJEMPLO

Usa el método de sustitución para resolver este sistema.

$$\begin{cases} 3s = -5t - 3 \\ 2s - 6 = t + 5 \end{cases}$$

▶ **Solución**

Reescribe una de las ecuaciones de modo que una variable quede sola en un lado.

$2s - 6 = t + 5$ Segunda ecuación original.

$2s - 11 = t$ Resta 5 de ambos lados.

Ahora sustituye t por $2s - 11$ en la primera ecuación y resuelve para s.

$3s = -5(2s - 11) - 3$ Sustituye t por $2s - 11$.

$3s = -10s + 55 - 3$ Distribuye el -5.

$3s = -10s + 52$ Resta 3 de 55.

$13s = 52$ Suma $10s$ a ambos lados.

$s = 4$ Divide ambos lados entre 13.

Para hallar el valor de t, sustituye s por 4 en cualquiera de las ecuaciones y resuelve para t. Debes encontrar que la solución del sistema es $(s, t) = (4, -3)$. Verifica esta solución sustituyéndola en ambas ecuaciones.

Resolución de sistemas de ecuaciones mediante la eliminación

En esta lección

- representarás situaciones con **sistemas de ecuaciones**
- usarás el **método de eliminación** para resolver sistemas de ecuaciones lineales

Lee el texto que está al inicio de la Lección 6.3 en tu libro. En él se explica que puedes sumar dos ecuaciones para obtener otra ecuación verdadera. Luego lee el Ejemplo A atentamente y asegúrate de que lo entiendes. En el ejemplo, la variable *s* se elimina sólo sumando las ecuaciones. Como verás en la investigación, en ocasiones, el uso del **método de eliminación** requiere un poco más de trabajo.

Investigación: Clips y pennies

Coloca un clip al lado de una hoja de papel, por el borde más largo. Luego alinea suficientes *pennies* (monedas de un centavo) para completar la longitud de 11 pulgadas. Si usas un clip tamaño jumbo, debes encontrar que necesitas 12 pennies.

Coloca dos clips al lado de la hoja, por el borde corto, y agrega suficientes pennies para completar su longitud de 8.5 pulgadas. Con clips jumbo necesitarás 6 pennies.

Si *C* es la longitud de un clip y *P* es el diámetro de un penny, puedes escribir este sistema de ecuaciones para representar la situación.

$$\begin{cases} C + 12P = 11 & \text{Lado mayor} \\ 2C + 6P = 8.5 & \text{Lado menor} \end{cases}$$

Observa que no puedes eliminar una variable al sumar las dos ecuaciones originales. Sin embargo, mira lo que pasa cuando multiplicas ambos lados de la primera ecuación por -2.

$$\begin{cases} C + 12P = 11 \\ 2C + 6P = 8.5 \end{cases} \rightarrow \begin{cases} -2C - 24P = -22 \\ 2C + 6P = 8.5 \end{cases}$$

Como multiplicaste ambos lados de la primera ecuación por el mismo número, la nueva ecuación tiene las mismas soluciones que la original. Ahora puedes eliminar la variable *C* sumando las dos ecuaciones del nuevo sistema.

$$-2C - 24P = -22$$

$$\underline{2C + 6P = 8.5}$$

$$-18P = -13.5 \qquad \text{Suma las ecuaciones.}$$

$$P = 0.75 \qquad \text{Divide entre } -18.$$

Para encontrar el valor de *C*, sustituye *P* por 0.75 en cualquier ecuación y resuelve para *C*.

$$C + 12(0.75) = 11 \quad \text{ó} \quad 2C + 6(0.75) = 8.5$$

(continúa)

Lección 6.3 • Resolución de sistemas de ecuaciones mediante la eliminación (continuación)

Debes encontrar que C es 2. Asegúrate de verificar la solución sustituyendo 0.75 por P y 2 por C en ambas ecuaciones.

$$2 + 12(0.75) = 11 \quad \text{y} \quad 2(2) + 6(0.75) = 8.5$$

La solución (0.75, 2) significa que un penny tiene un diámetro de 0.75 pulgadas y el clip tiene una longitud de 2 pulgadas.

Existen varias formas en que podrías resolver el sistema original de ecuaciones. Por ejemplo, en lugar de multiplicar la primera ecuación por -2, podrías haber multiplicado la segunda ecuación por -2. Entonces, el coeficiente de P sería -12 en ambas ecuaciones, y podrías eliminar P al sumar las ecuaciones.

Lee el resto de la lección en tu libro. A continuacíon se presenta un ejemplo más.

EJEMPLO

En la tienda de música Marli's Discount Music Mart, todos los discos compactos tienen el mismo precio y todos los casetes tienen el mismo precio. Rashid compró seis discos y cinco casetes por $117.78. Quincy compró cuatro discos y nueve casetes por $123.74. Escribe y resuelve un sistema de ecuaciones para encontrar el precio de un disco y el de un casete.

▶ **Solución**

Si c es el precio de un disco y t es el precio de un casete, entonces el problema puede modelarse con este sistema.

$$\begin{cases} 6c + 5t = 117.78 & \text{La compra de Rashid} \\ 4c + 9t = 123.74 & \text{La compra de Quincy} \end{cases}$$

Si multiplicas la primera ecuación por 2 y la segunda ecuación por -3, serás capaz de sumar las ecuaciones para eliminar c.

$6c + 5t = 117.78 \rightarrow$	$12c + 10t = 235.56$	Multiplica ambos lados por 2.
$4c + 9t = 123.74 \rightarrow$	$\underline{-12c - 27t = -371.22}$	Multiplica ambos lados por -3.
	$-17t = -135.66$	Suma las ecuaciones.
	$t = 7.98$	Divide.

Para encontrar el valor de c, sustituye t por 7.98 en cualquier ecuación y resuelve para t.

$6c + 5t = 117.78$	Primera ecuación original.
$6c + 5(7.98) = 117.78$	Sustituye t por 7.98.
$6c + 39.90 = 117.78$	Multiplica.
$6c = 77.88$	Resta 39.90 de ambos lados.
$c = 12.98$	Divide ambos lados entre 6.

Los casetes cuestan $7.98 y los discos cuestan $12.98. Asegúrate de verificar esta solución sustituyéndola en ambas ecuaciones originales.

Resolución de sistemas de ecuaciones mediante el uso de matrices

En esta lección

- representarás situaciones con **sistemas de ecuaciones**
- usarás **matrices** para resolver sistemas de ecuaciones lineales

Ya sabes cómo resolver sistemas de ecuaciones con tablas y gráficas, y usando los métodos de sustitución y eliminación. También se pueden resolver sistemas de ecuaciones usando matrices. En las páginas 331–332 de tu libro se explica cómo representar un sistema de ecuaciones con una matriz y luego usar operaciones de fila para encontrar la solución. Lee ese texto y el Ejemplo A con mucha atención.

Investigación: Diagonalización

Considera este sistema de ecuaciones.

$$\begin{cases} 2x + y = 11 \\ 6x - 5y = 9 \end{cases}$$

Como las ecuaciones están en forma estándar, puedes representar el sistema con una matriz. Escribe los numerales de la primera ecuación en la primera fila y los numerales de la segunda ecuación en la segunda fila.

$$\begin{bmatrix} 2 & 1 & 11 \\ 6 & -5 & 9 \end{bmatrix}$$

Para resolver la ecuación, realiza operaciones de fila para obtener el número 1 en la diagonal de la matriz y el número 0 arriba y abajo de la diagonal, como se muestra aquí.

$$\begin{bmatrix} 1 & 0 & a \\ 0 & 1 & b \end{bmatrix}$$

Para obtener un 0 como primera entrada de la segunda fila, suma -3 multiplicado por la primera fila al segundo renglón. Este paso es parecido a usar el método de eliminación para suprimir la x de la segunda ecuación.

-3 veces fila 1	$\to$		-6	-3	-33
$+$ fila 2	$\to$	$+$	6	-5	9
Nueva fila 2	$\to$		0	-8	-24

Nueva matriz

$$\begin{bmatrix} 2 & 1 & 11 \\ 0 & -8 & -24 \end{bmatrix}$$

Para obtener 1 como segunda entrada de la segunda fila, divide ese renglón entre -8.

$$\begin{bmatrix} 2 & 1 & 11 \\ 0 & 1 & 3 \end{bmatrix}$$

(continúa)

De esta segunda fila puedes ver que $y = 3$. Ahora resta la segunda fila de la primera para obtener un 0 como segunda entrada de la primera fila. Esto es parecido a sustituir y por 3 en la primera ecuación para obtener $2x = 8$.

Fila 1   →   2   1   11   **Nueva matriz**

$-$ fila 2   → $-$ 0   1   3

Nueva fila 1   →   2   0   8

$$\begin{bmatrix} 2 & 0 & 8 \\ 0 & 1 & 3 \end{bmatrix}$$

Para obtener un 1 como primera entrada de la primera fila, divide la fila entre 2.

$$\begin{bmatrix} 1 & 0 & 4 \\ 0 & 1 & 3 \end{bmatrix}$$

Ahora puedes ver que $x = 4$ y $y = 3$. Puedes verificar esta solución sustituyéndola en la ecuación original.

En el Ejemplo B de tu libro se muestra que las matrices son útiles para resolver sistemas de ecuaciones en los que hay números grandes. Aquí se presenta otro ejemplo.

EJEMPLO   En un encuentro de fútbol americano colegial, los estudiantes pagaron \$12 por boleto y los no estudiantes pagaron \$18 por boleto. El número total de estudiantes que acudieron al partido fue de 1,430 más que el número de no estudiantes. La venta total de todos los boletos fue de \$67,260. ¿Cuántos de los que fueron al partido eran estudiantes y cuántos no?

▶ **Solución**   Si S es el número de estudiantes y N es el número de no estudiantes, entonces puedes representar la situación con los siguientes sistema y matriz.

$$\begin{cases} S - N = 1{,}430 \\ 12S + 18N = 67{,}260 \end{cases} \rightarrow \begin{bmatrix} 1 & -1 & 1{,}430 \\ 12 & 18 & 67{,}260 \end{bmatrix}$$

Usa operaciones de fila para hallar la solución.

Suma -12 veces la fila 1 a la fila 2 para obtener una nueva fila 2.
$$\begin{bmatrix} 1 & -1 & 1{,}430 \\ 0 & 30 & 50{,}100 \end{bmatrix}$$

Divide la fila 2 entre 30.
$$\begin{bmatrix} 1 & -1 & 1{,}430 \\ 0 & 1 & 1{,}670 \end{bmatrix}$$

Suma la fila 2 a la fila 1 para obtener una nueva fila 1.
$$\begin{bmatrix} 1 & 0 & 3{,}100 \\ 0 & 1 & 1{,}670 \end{bmatrix}$$

La matriz final muestra que $S = 3{,}100$ y $N = 1{,}670$. Así que 3,100 estudiantes y 1,670 no estudiantes acudieron al partido. Puedes verificar esta solución sustituyéndola en ambas ecuaciones originales.

6.5 Desigualdades con una variable

En esta lección

- escribirás **desigualdades** para representar situaciones
- aprenderás cómo aplicar operaciones a ambos lados de una desigualdad afecta la dirección del símbolo de desigualdad
- resolverás un problema al escribir y **resolver una desigualdad**

Una **desigualdad** es una proposición de que una cantidad es menor o mayor que otra. Las desigualdades se escriben usando los símbolos $<$, $>$, $\leq$, y $\geq$. Lee el texto de la página 339 de tu libro, que ofrece varios ejemplos de la vida cotidiana y cómo escribirlos como desigualdades.

Al igual que con las ecuaciones, puedes resolver desigualdades aplicando las mismas operaciones en ambos lados. Sin embargo, como aprenderás en la investigación, necesitas tener cuidado con respecto a la dirección del símbolo de desigualdad.

Investigación: Pisa la recta

En esta investigación, dos caminantes se encuentran parados sobre una recta numérica. Caminante A empieza en el número 2 y Caminante B empieza en el número 4. Puedes representar esta situación con la desigualdad $2 < 4$.

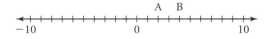

Pasos 1–4 Cuando un locutor anuncia una operación, los caminantes la realizan en sus números y se mueven a sus nuevas posiciones según el resultado. Las nuevas posiciones están representadas por una desigualdad, con la posición de Caminante A a la izquierda y la posición de Caminante B a la derecha.

En las ilustraciones siguientes se muestran las posiciones de los caminantes después de las primeras dos operaciones, junto con la correspondiente desigualdad.

Operación: Suma 2; Desigualdad: $4 < 6$ Operación: Resta 3; Desigualdad: $1 < 3$

En esta tabla se muestran los resultados de las operaciones restantes.

Operación	Posición de Caminante A	Símbolo de desigualdad	Posición de Caminante B
Suma -2	-1	$<$	1
Resta -4	3	$<$	5
Multiplica por 2	6	$<$	10
Resta 7	-1	$<$	3
Multiplica por -3	3	$>$	-9
Suma 5	8	$>$	-4
Divide entre -4	-2	$<$	1
Resta 2	-4	$<$	-1
Multiplica por -1	4	$>$	1

(continúa)

Lección 6.5 • Desigualdades con una variable (continuación)

Pasos 5–9   Observa que, cuando se suma o se resta un número de las posiciones de los caminantes, la dirección de la desigualdad (o sea, las posiciones relativas de los caminantes) permanece igual. La dirección de una desigualdad también permanece igual cuando las posiciones se multiplican o se dividen por un número positivo. Sin embargo, cuando las posiciones se multiplican o se dividen por un número negativo, la dirección de la desigualdad (o sea, las posiciones relativas de los caminantes) se invierte.

Verifica estos descubrimientos iniciando otra desigualdad y aplicando las operaciones en ambos lados. Deberás llegar a la conclusión que *la dirección del símbolo de desigualdad se invierte sólo cuando multiplicas o divides por un número negativo.*

Lee el Ejemplo A en tu libro, que muestra cómo graficar soluciones de desigualdades en una recta numérica. Después lee el Ejemplo B, donde se aplica lo que aprendiste en la investigación para resolver una desigualdad. Aquí se presenta un ejemplo más.

EJEMPLO A   Jack toma el autobús jugar a bolos. Tiene \$15 cuando llega ahí. Le cuesta \$2.25 por juego. Si Jack necesita \$1.50 para tomar el autobús de regreso a casa, ¿cuántos juegos puede jugar? Resuelve este problema escribiendo y resolviendo una desigualdad.

▶ **Solución**   Asignemos que g sea el número de juegos que Jack puede jugar. Sabemos que la cantidad que Jack tiene al principio, menos la cantidad que gasta jugando, debe ser al menos (es decir, mayor que o igual a) \$1.50. Entonces, podemos escribir esta desigualdad.

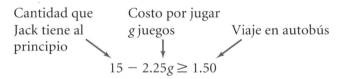

Cantidad que Jack tiene al principio   Costo por jugar g juegos   Viaje en autobús

$$15 - 2.25g \geq 1.50$$

Ahora resuelve la desigualdad.

$15 - 2.25g \geq 1.50$	Desigualdad original.
$15 - 15 - 2.25g \geq 1.50 - 15$	Resta 15 de ambos lados.
$-2.25g \geq -13.50$	Resta.
$\dfrac{-2.25g}{-2.25} \leq \dfrac{-13.50}{-2.25}$	Divide ambos lados entre -2.25, e **invierte el símbolo de desigualdad.**
$g \leq 6$	Divide.

Jack puede jugar 6 juegos o menos. Aquí, graficamos $g \leq 6$ en una recta numérica.

Discovering Algebra Condensed Lessons in Spanish
©2004 Key Curriculum Press

Gráficas de desigualdades con dos variables

En esta lección

● **graficarás desigualdades lineales** con dos variables

Sabes cómo graficar ecuaciones lineales con dos variables, como $y = 6 - 3x$. En esta lección aprenderás a graficar desigualdades lineales con dos variables, como $y < 6 - 3x$ y $y \geq 6 - 3x$.

Investigación: Graficación de desigualdades

Para llevar a cabo esta investigación, necesitarás una hoja de trabajo de papel cuadriculado como la que se encuentra en la página 347 de tu libro.

Escoge una de las proposiciones de la lista en la página 347. Por cada punto mostrado con un círculo en la hoja de trabajo, sustituye las coordenadas del punto en la proposición, y después llena el círculo con el símbolo de relación $<$, $>$, o $=$, que hace que la proposición sea verdadera. Por ejemplo, si eliges la proposición $y \ \square \ -1 - 2x$, haz lo siguiente para el punto $(3, 2)$:

$y \ \square \ -1 - 2x$ Proposición original.

$2 \ \square \ -1 - 2(3)$ Sustituye x por 3 y y por 2.

$2 \ \square \ -7$ Resta.

Como el símbolo $>$ hace que la proposición sea verdadera, pon $>$ en el círculo del punto $(3, 2)$. He aquí las cuadrículas para las cuatro proposiciones.

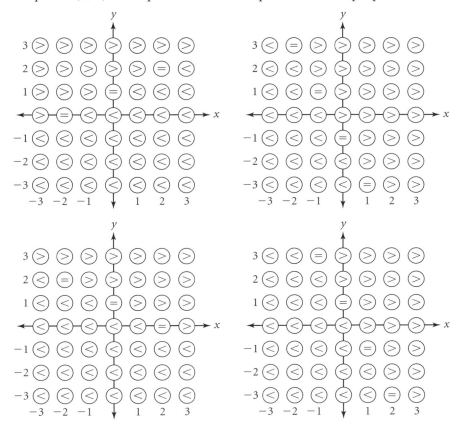

(continúa)

Lección 6.6 • Gráficas de desigualdades con dos variables (continuación)

Observa que para cada proposición, los círculos que contienen los signos igual forman una recta. Los círculos que están por arriba de la recta tienen el símbolo $>$ y los círculos que están por debajo de la recta tienen el símbolo $<$.

Elige una de las proposiciones y prueba un punto con coordenadas fraccionarias o decimales. Por ejemplo, en la cuadrícula correspondiente a $y \square -1 - 2x$, el punto $(-2.2, 1.5)$ está debajo de la recta de signos igual. Sustituye las coordenadas en la proposición.

$y \square -1 - 2x$	Proposición original.
$1.5 \square -1 - 2(-2.2)$	Sustituye x por -2.2 y y por 1.5.
$1.5 \square 3.4$	Resta.
$1.5 < 3.4$	Inserta el símbolo apropiado.

La proposición resultante obtiene un símbolo $<$, al igual que los otros puntos que están debajo de la recta de los signos igual.

Aquí se muestran las gráficas de $y < -1 - 2x$, $y > -1 - 2x$, $y = -1 - 2x$, $y \le -1 - 2x$, y $y \ge -1 - 2x$. En cada gráfica las regiones sombreadas incluyen los puntos que hacen verdadera la proposición. La recta punteada indica que la recta *no* está incluida en la gráfica. Una recta sólida indica que la recta está incluida.

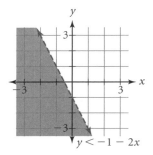
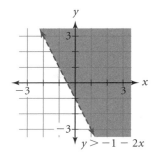

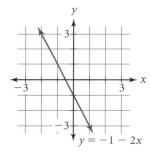
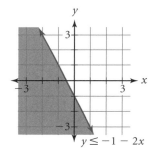
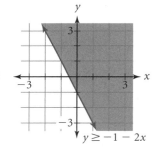

Construye gráficas parecidas para las otras desigualdades. Observa:

- Las gráficas de las desigualdades en la forma $y > expresión$ y $y \ge expresión$ están sombreadas arriba de la recta.

- Las gráficas de las desigualdades en la forma $y < expresión$ y $y \le expresión$ están sombreadas debajo de la recta.

- Las gráficas de las desigualdades en la forma $y \le expresión$ y $y \ge expresión$ requieren una recta sólida.

- Las gráficas de las desigualdades en la forma $y < expresión$ y $y > expresión$ requieren una recta punteada.

Lee el resto de la lección y el ejemplo en tu libro. Cuando hayas terminado, debes ser capaz de graficar cualquier desigualdad lineal.

Discovering Algebra Condensed Lessons in Spanish
©2004 Key Curriculum Press

LECCIÓN
CONDENSADA
6.7

Sistemas de desigualdades

En esta lección

- **graficarás soluciones** de sistemas de desigualdades
- usarás sistemas de desigualdades para representar situaciones que implican **restricciones**

Puedes hallar la solución de un sistema de ecuaciones si graficas las ecuaciones y localizas los puntos de intersección. Puedes utilizar un método parecido para hallar la solución de un sistema de desigualdades. Lee el Ejemplo A en tu libro. Después lee el ejemplo adicional que se presenta aquí.

EJEMPLO

Grafica este sistema de desigualdades e indica la solución.

$$\begin{cases} y \geq 3 - 2x \\ y < -2 + \frac{3}{4}x \end{cases}$$

▶ **Solución**

Grafica $y = 3 - 2x$ con una línea sólida, pues sus puntos satisfacen la desigualdad. Sombrea por encima de la recta, ya que su desigualdad tiene el símbolo "mayor que o igual a".

Grafica $y = -2 + \frac{3}{4}x$ con una línea punteada, pues sus puntos no satisfacen la desigualdad. Sombrea por debajo de la recta, ya que la desigualdad y es "menos que" la expresión en x.

Los puntos de la región de traslapo satisfacen ambas desigualdades, así que la región de traslapo es la solución del sistema.

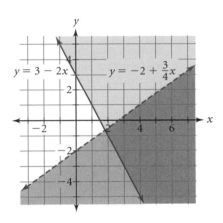

En el Ejemplo B de tu libro se muestra cómo los sistemas de desigualdades son útiles para modelar situaciones que implican **restricciones.** Lee ese ejemplo.

Investigación: Un sobre "típico"

Aquí se presentan dos restricciones que el Servicio Postal de EE.UU. impone al tamaño de los sobres.

- La razón del largo al ancho debe ser menor que o igual a 2.5.
- La razón del largo al ancho debe ser mayor que o igual a 1.3.

Si l y w representan el largo y el ancho de un sobre, entonces la primera restricción puede representarse mediante la ecuación $\frac{l}{w} \leq 2.5$ y la segunda restricción mediante $\frac{l}{w} \geq 1.3$.

Puedes resolver cada desigualdad para l multiplicando ambos lados por w. Esto da el sistema

$$\begin{cases} l \leq 2.5w \\ l \geq 1.3w \end{cases}$$

(continúa)

Lección 6.7 • Sistemas de desigualdades (continuación)

Observa que no necesitas invertir la dirección del símbolo de desigualdad cuando multiplicas ambos lados por y, porque el ancho de un sobre debe ser un número positivo.

Aquí se grafican ambas desigualdades en el mismo sistema de ejes.

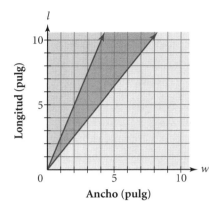

El traslapo de las regiones sombreadas es la solución del sistema. Puedes verificar esto eligiendo un punto de la región de traslapo y asegurándote de que sus coordenadas satisfacen ambas desigualdades.

En el paso 5 de tu libro se dan las dimensiones de cuatro sobres. Los puntos correspondientes a estos sobres están trazados en esta gráfica. El punto a, que corresponde a un sobre de 5 pulg por 8 pulg, y el punto d, que corresponde a un sobre de 5.5 pulg por 7.5 pulg, caen dentro de la región de traslapo, lo cual indica que estos sobres satisfacen ambas restricciones.

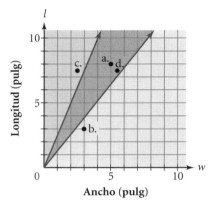

Observa que el punto $(0, 0)$ satisface el sistema. Este punto corresponde a un sobre que no tiene largo ni ancho, lo cual no tiene sentido. Agregar restricciones que especifiquen largos y anchos máximos y mínimos harían que el sistema fuera un modelo más realista. Por ejemplo, para que un sobre requiera una estampilla de 34¢, el largo debe estar entre 5 pulg y 11.5 pulg, y el ancho debe estar entre 3.5 pulg, y 6.125 pulg. El sistema incluye estas restricciones y tiene esta gráfica.

$$\begin{cases} l \le 2.5w \\ l \ge 1.3w \\ l \ge 5 \\ w \ge 3.5 \\ l \le 11.5 \\ w \le 6.125 \end{cases}$$

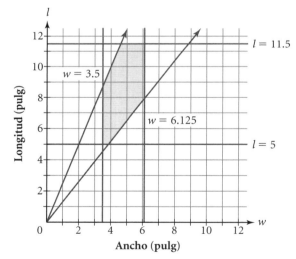

Rutinas recursivas

En esta lección

- explorarás patrones que implican la **multiplicación repetida**
- escribirás **rutinas recursivas** para situaciones que implican la multiplicación repetida
- buscarás en **tablas y gráficas** situaciones que implican la multiplicación repetida

En capítulos anteriores observaste patrones en los que había sumas o restas repetidas. Tales patrones pueden modelarse con ecuaciones lineales y gráficas de rectas. En esta lección empiezas a explorar un tipo diferente de patrón.

Investigación: Bichos, bichos, bichos

Imagina que una población de bichos inicia con 16 y crece en 50% cada semana. En esta investigación observarás el patrón de cambio de esta población. En tu libro, lee y sigue todos los pasos de la investigación. Después regresa aquí y verifica tus resultados.

En esta tabla se muestran los resultados de las primeras cuatro semanas.

Invasión de bichos

Semanas pasadas	Número total de bichos	Aumento en el número de bichos (razón de cambio)	Razón del total de la semana actual al total de la semana pasada
Inicio (0)	16		
1	24	8	$\frac{24}{16} = \frac{3}{2} = 1.5$
2	36	12	$\frac{36}{24} = \frac{3}{2} = 1.5$
3	54	18	$\frac{54}{36} = \frac{3}{2} = 1.5$
4	81	27	$\frac{81}{54} = \frac{3}{2} = 1.5$

La razón de cambio del número de bichos no es constante: cambia de 8 a 12 a 18 a 27, de modo que este patrón no es lineal.

Esta es una gráfica de los datos. Los puntos se conectan con segmentos de recta. Observa que, a medida que te desplazas de izquierda a derecha, aumentan las pendientes de los segmentos de recta.

En la última columna de la tabla se muestra que la razón del número de bichos de cada semana al número de bichos de la semana anterior es constante. Esta razón constante, 1.5, es el número por el cual la población de cada semana debe multiplicarse para obtener la población de la siguiente. Así pues, a diferencia de los patrones lineales, en los que encuentras cada valor *sumando* un número constante al valor anterior, en este patrón encuentras cada valor *multiplicando* el valor anterior por un número constante.

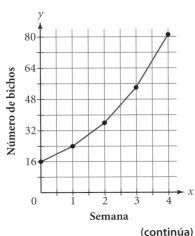

(continúa)

Puedes modelar el crecimiento de la población de bichos con esta rutina.

Presiona {0, 16} [ENTER]

Presiona {Ans(1) + 1, Ans(2) * 1.5}

Presiona [ENTER] para generar cada término sucesivo

En la rutina, {0, 16} establece la población inicial de bichos (la población correspondiente a la semana 0) en 16. La regla {Ans(1) + 1, Ans(2) * 1.5} suma 1 al número de semana y multiplica la población por 1.5.

Al presionar [ENTER] repetidamente, debes encontrar que las poblaciones de las semanas 5 a 8 son 122, 182, 273, y 410. Las poblaciones de las semanas 20 y 30 son 53,204 y 4,602,025.

El ejemplo en tu libro implica interés compuesto, que presenta un patrón de aumento en que hay multiplicación repetida. Lee el ejemplo atentamente. Después lee el ejemplo siguiente, el cual muestra un patrón decreciente.

EJEMPLO

Desi compró un automóvil por $16,000. Él estima que el valor del auto disminuirá 15% cada año. ¿Cuánto valdrá el auto después de 4 años? ¿Después de 7 años?

▶ Solución

Cada año el valor del auto disminuye en 15% de su valor anterior.

Año	Valor inicial		Disminución de valor		Valor nuevo
1	16,000	−	16,000 · 0.15	=	16,000(1 − 0.15) ó 13,600
2	13,600	−	13,600 · 0.15	=	13,600(1 − 0.15) ó 11,560
3	11,560	−	11,560 · 0.15	=	11,560(1 − 0.15) ó 9,826

Cada año, el valor del auto se multiplica por 1 − 0.15, ó 0.85. Es decir, el valor al final de cada año es 85% del valor anterior. Puedes modelar esta situación con una rutina recursiva.

Presiona {0, 16,000} [ENTER]

Presiona {Ans(1) + 1, Ans(2) * 0.85}

Presiona [ENTER] para generar cada término sucesivo

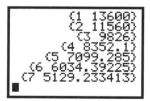

```
          {1  13600}
          {2  11560}
              {3  9826}
          {4  8352.1}
         {5  7099.285}
       {6  6034.39225}
      {7  5129.233413}
■
```

Observa que el valor disminuye por una cantidad más pequeña cada año. El valor después de 4 años es de unos $8352. El valor después de 7 años es aproximadamente $5129.

Ecuaciones exponenciales

En esta lección

- escribirás **ecuaciones exponenciales** para representar situaciones que implican un multiplicador constante
- cambiarás expresiones de su **forma expandida** a su **forma exponencial**
- usarás ecuaciones exponenciales para modelar el **crecimiento exponencial**

Has usado rutinas recursivas para generar patrones que implican un multiplicador constante. En esta lección aprenderás a representar tales patrones con ecuaciones. Esto te permitirá encontrar el valor de cualquier término, sin tener que encontrar todos los términos anteriores.

Investigación: Crecimiento de la curva de Koch

Aquí se presentan las Etapas 0 a 3 de la curva de Koch.

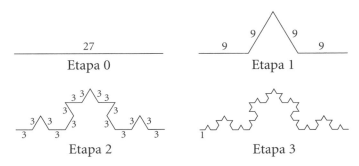

Cada etapa tiene cuatro veces más segmentos que la anterior, y cada segmento es $\frac{1}{3}$ la longitud del segmento anterior. En esta tabla se muestra la longitud total de cada etapa.

La razón de la longitud en cada etapa a la longitud de la anterior es $\frac{4}{3}$. De modo que la longitud en cada etapa es $\frac{4}{3}$ veces la longitud de la etapa anterior. Puedes usar este hecho para encontrar la longitud en las Etapas 4 y 5.

Etapa	Longitud total (unidades)	Razón de la longitud de la etapa actual a la longitud de la anterior
0	27	
1	36	$\frac{36}{27} = \frac{4}{3} = 1.\bar{3}$
2	48	$\frac{48}{36} = \frac{4}{3} = 1.\bar{3}$
3	64	$\frac{64}{48} = \frac{4}{3} = 1.\bar{3}$

Longitud de la Etapa 4 $= 64 \cdot \frac{4}{3} = 85.\bar{3}$

Longitud de la Etapa 5 $= 85.\bar{3} \cdot \frac{4}{3} = 113.\bar{7}$

(continúa)

Observa que, en la Etapa 1, multiplicas 27, la longitud original, por $\frac{4}{3}$ una vez. En la Etapa 2, multiplicas 27 por $\frac{4}{3}$ dos veces. En la Etapa 3, multiplicas 27 por $\frac{4}{3}$ tres veces. Puedes escribir este patrón usando exponentes.

Longitud de la Etapa 1 $= 27 \cdot \frac{4}{3} = 27 \cdot \left(\frac{4}{3}\right)^1 = 36$

Longitud de la Etapa 2 $= 27 \cdot \frac{4}{3} \cdot \frac{4}{3} = 27 \cdot \left(\frac{4}{3}\right)^2 = 48$

Longitud de la Etapa 3 $= 27 \cdot \frac{4}{3} \cdot \frac{4}{3} \cdot \frac{4}{3} = 27 \cdot \left(\frac{4}{3}\right)^3 = 64$

En cada caso, el número de etapa es igual al exponente. Entonces, la longitud de la Etapa 5 es $27 \cdot \left(\frac{4}{3}\right)^5 = 113.\overline{7}$, lo cual concuerda con la respuesta expuesta anteriormente.

Si x es el número de etapa y y es la longitud total, entonces la ecuación $y = 27 \cdot \left(\frac{4}{3}\right)^x$ modela la longitud en cualquier etapa. Aquí tienes una gráfica de calculadora y una tabla correspondientes a esta ecuación.

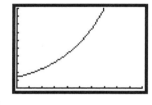 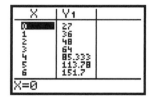

En tu libro, lee el texto y los ejemplos que siguen después de la investigación. En el Ejemplo A se muestra cómo cambiar las expresiones de una **forma expandida** a una **forma exponencial.** En el Ejemplo B se explora una situación que implica el **crecimiento exponencial.** Asegúrate de entender la ecuación del crecimiento exponencial dada en el recuadro de la página 377. Aquí se presenta otro ejemplo.

EJEMPLO

Hace seis años, el abuelo de Dawn le dio una colección de monedas con un valor de $350. Desde entonces, el valor de la colección ha aumentado 7% por año. ¿Cuánto vale la colección ahora?

▶ **Solución**

Puedes modelar esta situación con la ecuación a la derecha.

Para encontrar el valor actual de la colección, es decir, el valor 6 años después de recibido, sustituye x por 6.

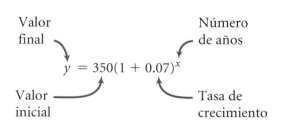

$y = 350(1 + 0.07)^x$ Ecuación original.

$y = 350(1 + 0.07)^6$ Sustituye 6 por x.

$y = 350 \cdot 1.07^6$ Suma dentro de los paréntesis.

$y \approx 525.26$ Evalúa la expresión.

Ahora la colección vale $525.26.

Multiplicación y exponentes

En esta lección

- usarás la **propiedad multiplicativa** de los exponentes para reescribir expresiones
- usarás las **propiedades de potencia de los exponentes** para reescribir expresiones

Supón que una cuenta de ahorros empieza con un saldo de $500 y obtiene 3% de intereses al año. Si no se deposita ni se retira dinero, el saldo después de 4 años es $500(1 + 0.03)^4$. Aquí se presentan dos maneras en que podrías representar el saldo después de 5 años.

- Puedes escribir $500(1 + 0.03)^5$.
- Puedes pensar de manera recursiva: el saldo después de 5 años es el saldo después de 4 años por el multiplicador constante $(1 + 0.03)$. Esto da $500(1 + 0.03)^4 \cdot (1 + 0.03)$.

Significa que $500(1 + 0.03)^4 \cdot (1 + 0.03) = 500(1 + 0.03)^5$.

En general, puedes avanzar el crecimiento exponencial por un periodo de dos formas: multiplicando la cantidad anterior por la base, o aumentando el exponente en 1. En la investigación extenderás esta idea al explorar lo que sucede cuando avanzas más de un periodo.

Investigación: Desplazamiento hacia adelante

Pasos 1–3 Mira las expresiones del Paso 1 en tu libro. Puedes escribir cada expresión en forma exponencial con una sola base. Para ver cómo, primero reescribe cada expresión en forma expandida.

a. $3^4 \cdot 3^2 = (3 \cdot 3 \cdot 3 \cdot 3)(3 \cdot 3) = 3^6$

b. $x^3 \cdot x^5 = (x \cdot x \cdot x)(x \cdot x \cdot x \cdot x \cdot x) = x^8$

c. $(1 + 0.05)^2 \cdot (1 + 0.05)^4 = [(1 + 0.05) \cdot (1 + 0.05)] \cdot [(1 + 0.05) \cdot (1 + 0.05) \cdot (1 + 0.05) \cdot (1 + 0.05)] = (1 + 0.05)^6$

d. $10^3 \cdot 10^6 = (10 \cdot 10 \cdot 10) \cdot (10 \cdot 10 \cdot 10 \cdot 10 \cdot 10 \cdot 10) = 10^9$

En cada caso, sumas los exponentes de la expresión original para obtener el exponente de la expresión final. Puedes generalizar lo que encontraste como

$$b^m \cdot b^n = b^{m+n}$$

Pasos 4–5 Completa ahora las partes a–c del Paso 4 en tu libro. Aquí se muestran las respuestas.

a. Si $16(1 + 0.5)^5$ es el número de bichos en la colonia después de 5 semanas, entonces $16(1 + 0.5)^5 \cdot (1 + 0.5)^3$ es el número de bichos 3 semanas después (es decir, después de un total de 8 semanas). Esta expresión puede reescribirse como $16(1 + 0.5)^8$.

b. Si $11{,}500(1 - 0.2)^7$ es el valor del camión después de 7 años, entonces $11{,}500(1 - 0.2)^7 \cdot (1 - 0.2)^2$ es su valor después de 2 años más (es decir, después de un total de 9 años). Esta expresión se puede reescribir como $11{,}500(1 - 0.2)^9$.

(continúa)

Lección 7.3 • Multiplicación y exponentes (continuación)

c. Si $A(1 + r)^n$ representa n periodos de crecimiento exponencial, entonces $A(1 + r)^{n+m}$ modela m periodos más (es decir, un total de $n + m$ periodos).

En general, cuando usas un modelo exponencial, puedes obtener valores para m periodos posteriores si multiplicas por $(1 + r)^m$ o sumas m al exponente.

En la página 384 de tu libro se resume lo que has aprendido en la investigación como la **propiedad multiplicativa de los exponentes.** Esta propiedad es útil para simplificar expresiones que implican exponentes, pero ten en mente que sólo se puede utilizar cuando las bases son iguales. El Ejemplo A de tu libro te puede ayudar a entender por qué.

En el Ejemplo B se ilustran las **propiedades de potencia de los exponentes.** Lee este ejemplo y el siguiente texto atentamente. Después lee el ejemplo que se presenta aquí.

EJEMPLO | Usa las propiedades de los exponentes para reescribir cada expresión.

a. $\left(6^4\right)^3$ **b.** $(3y)^2$ **c.** $5^x \cdot 5^y$

d. $7^3 \cdot 5^2 \cdot 7^1$ **e.** $r^4 s^4$ **f.** $\left(p^2\right)^5$

▶ **Solución** | **a.** $\left(6^4\right)^3 = 6^{4\cdot3} = 6^{12}$

b. $(3y)^2 = 3^2 y^2$

c. $5^x \cdot 5^y = 5^{x+y}$

d. $7^3 \cdot 5^2 \cdot 7 = 7^{3+1} \cdot 5^2 = 7^4 \cdot 5^2$

e. $r^4 s^4 = (rs)^4$

f. $\left(p^2\right)^5 = p^{2\cdot5} = p^{10}$

©2004 Key Curriculum Press

Notación científica para números grandes

En esta lección

- escribirás números grandes en **notación científica**
- convertirás números de notación científica a notación estándar, y viceversa
- usarás la notación científica para simplificar cálculos con números grandes

La distancia del Sol a la galaxia de Andrómeda es de 13,000,000,000,000,000,000 millas. En esta lección conocerás la **notación científica,** un método para escribir números muy grandes como el anterior en una forma más compacta. En notación científica, las distancia del Sol a la galaxia de Andrómeda se escribe como 1.3×10^{19} millas.

Investigación: Un dilema científico

Pasos 1–2 En la página 388 de tu libro hay dos listas de números. Los números de la primera lista están en notación científica. Los números de la segunda lista están escritos de otra forma. Compara las listas para ver si puedes darte una idea de qué significa que un número esté en notación científica.

Cada uno de los números que está en notación científica se escribe como producto de un número entre 1 y 10 y una potencia de 10. Usa esta idea para determinar cuál de los números del Paso 2 está en notación científica.

a. 4.7×10^3 está en notación científica.

b. 32×10^5 *no* está en notación científica porque 32 es mayor que 10.

c. $2^4 \times 10^6$ *no* está en notación científica porque 2^4 es mayor que 10 (y porque está escrito con un exponente).

d. 1.107×10^{13} está en notación científica.

e. 0.28×10^{13} *no* está en notación científica porque 0.28 es menor que 1.

Pasos 3–8 Cambia tu calculadora al modo de notación científica. (Consulta **Calculator Note 7C.**) Cuando introduces un número y presionas ENTER, tu calculadora convertirá el número a notación científica. Usa tu calculadora para convertir 5000 y cada uno de los números del Paso 5 a notación científica. Aquí están los resultados.

Notación estándar	Notación científica
5,000	5×10^3
250	2.5×10^2
−5,530	-5.53×10^3
14,000	1.4×10^4
7,000,000	7×10^6
18	1.8×10^1
−470,000	-4.7×10^5

(continúa)

Lección 7.4 • Notación científica para números grandes (continuación)

Observa lo siguiente:

- El exponente es igual al número de dígitos que hay *después* del primer dígito en el número original.

- El número multiplicado por la potencia de 10 incluye los dígitos significativos del número original y tiene un dígito a la izquierda del punto decimal.

- Si el número original es negativo, el número multiplicado por la potencia de 10 es negativo.

El exponente 4 es el número de dígitos después del primer dígito.

$$14{,}000 = 1.4 \times 10^4$$

1 y 4 son los dígitos significativos.

Para convertir 415,000,000 a notación científica, escribe 4.15 (los dígitos significativos con un dígito a la izquierda del punto decimal). Después, cuenta el número de lugares que tienes que recorrer el punto decimal para hacer que 415,000,000 cambie a 4.15. Usa el resultado, 8, como la potencia de 10. Así, $415{,}000{,}000 = 4.15 \times 10^8$.

Para convertir 6.4×10^5 a notación estándar, desplaza el punto decimal cinco lugares a la derecha, agregando los ceros que necesites. Así $6.4 \times 10^5 = 640{,}000$.

Lee el texto y el ejemplo que siguen la investigación en tu libro. Aquí tienes otro ejemplo.

EJEMPLO

La hemoglobina es una proteína presente en los glóbulos rojos de la sangre que transporta oxígeno de los pulmones a los tejidos. Existen aproximadamente 25 billones de glóbulos rojos en el cuerpo humano adulto promedio, y cada glóbulo contiene 280 millones de moléculas de hemoglobina. ¿Cuántas moléculas de hemoglobina contiene el cuerpo humano adulto promedio?

▶ **Solución**

Primero, escribe los números en notación científica.

$$25 \text{ billones} = 25{,}000{,}000{,}000{,}000 = 2.5 \times 10^{13}$$

$$280 \text{ millones} = 280{,}000{,}000 = 2.8 \times 10^8$$

Ahora multiplica los números.

$$\left(2.5 \times 10^{13}\right)\left(2.8 \times 10^8\right) = 2.5 \times 2.8 \times 10^{13} \times 10^8 \qquad \text{Reagrupa los números.}$$

$$= 7.0 \times 10^{13} \times 10^8 \qquad \text{Multiplica 2.5 por 2.8.}$$

$$= 7.0 \times 10^{21} \qquad \text{Usa la propiedad multiplicativa de los exponentes.}$$

Existen unas 7.0×10^{21} moléculas de hemoglobina en el cuerpo humano.

Mirar hacia el pasado con los exponentes

En esta lección

- usarás la **propiedad de división de los exponentes** para reescribir expresiones
- relacionarás la propiedad de división de los exponentes con el mirar hacia el *pasado*

Has visto cómo multiplicar expresiones con exponentes. En esta lección aprenderás cómo dividir expresiones con exponentes.

Investigación: La propiedad de división de los exponentes

Pasos 1–3 Para las expresiones del Paso 1 de tu libro, escribe los numeradores y los denominadores en forma expandida y después elimina los factores que son equivalentes a 1.

a. $\dfrac{5^9}{5^6} = \dfrac{\cancel{5} \cdot \cancel{5} \cdot \cancel{5} \cdot \cancel{5} \cdot \cancel{5} \cdot \cancel{5} \cdot 5 \cdot 5 \cdot 5}{\cancel{5} \cdot \cancel{5} \cdot \cancel{5} \cdot \cancel{5} \cdot \cancel{5} \cdot \cancel{5}} = 5^3$

b. $\dfrac{3^3 \cdot 5^3}{3 \cdot 5^2} = \dfrac{\cancel{3} \cdot 3 \cdot 3 \cdot \cancel{5} \cdot \cancel{5} \cdot 5}{\cancel{3} \cdot \cancel{5} \cdot \cancel{5}} = 3^2 \cdot 5^1$

c. $\dfrac{4^4 x^6}{4^2 x^3} = \dfrac{\cancel{4} \cdot \cancel{4} \cdot 4 \cdot 4 \cdot \cancel{x} \cdot \cancel{x} \cdot \cancel{x} \cdot x \cdot x \cdot x}{\cancel{4} \cdot \cancel{4} \cdot \cancel{x} \cdot \cancel{x} \cdot \cancel{x}} = 4^2 x^3$

Compara los exponentes de cada expresión final con los exponentes del cociente original. Observa que, para cada base, el exponente de la expresión final es el exponente del numerador menos el exponente del denominador. Puedes usar esta idea para reescribir la expresión del Paso 3.

$$\frac{5^{15}\left(1 + \dfrac{0.08}{12}\right)^{24}}{5^{11}\left(1 + \dfrac{0.08}{12}\right)^{18}} = 5^{15-11}\left(1 + \frac{0.08}{12}\right)^{24-18} = 5^4\left(1 + \frac{0.08}{12}\right)^6$$

Pasos 4–5 El crecimiento exponencial está relacionado con la multiplicación repetida. Cuando miras hacia el futuro, multiplicas por más multiplicadores constantes. Para mirar hacia el pasado, necesitas deshacer una parte de la multiplicación, o dividir. Completa las partes a–d del Paso 4. Aquí se presentan las respuestas.

a. Si $500(1 + 0.04)^7$ representa el saldo después de 7 años, entonces $\dfrac{500(1 + 0.04)^7}{(1 + 0.04)^3}$ representa el saldo 3 años antes (es decir, después de 4 años). Puedes reescribir esta expresión como $500(1 + 0.04)^4$.

b. Si $21{,}300(1 - 0.12)^9$ representa el valor después de 9 años, entonces $\dfrac{21{,}300(1 - 0.12)^9}{(1 - 0.12)^5}$ representa el valor 5 años antes (es decir, después de 4 años). Puedes reescribir esta expresión como $21{,}300(1 - 0.12)^4$.

c. Si la población después de 5 semanas es $32(1 + 0.50)^5$, entonces la población 2 semanas antes fue $\dfrac{32(1 + 0.50)^5}{(1 + 0.50)^2}$ ó $32(1 + 0.50)^3$.

d. Si $A(1 + r)^n$ modela n periodos de crecimiento exponencial, entonces $A(1 + r)^{n-m}$ modela el crecimiento m periodos antes.

(continúa)

Lección 7.5 • Mirar hacia el pasado con los exponentes (continuación)

En general, para mirar hacia atrás m periodos con un modelo de crecimiento exponencial, divide entre $(1 + r)^m$, en la que r es la tasa de crecimiento, o resta m del exponente.

En la investigación exploraste la **propiedad de división de los exponentes.** Lee la explicación de la propiedad en tu libro. Después lee los ejemplos en las páginas 394 y 395. Aquí se presentan algunos ejemplos más.

EJEMPLO A

Reescribe cada expresión sin denominador.

a. $\dfrac{p^7 q^5 r^3}{p^5 q^3 r}$

b. $\dfrac{5^2 \cdot 2^x \cdot 5^3}{2^y \cdot 5^4}$

▶ **Solución**

a. $\dfrac{p^7 q^5 r^3}{p^5 q^3 r} = p^{7-5} q^{5-3} r^{3-1} = p^2 q^2 r^2$

b. $\dfrac{5^2 \cdot 2^x \cdot 5^3}{2^y \cdot 5^4} = \dfrac{2^x \cdot 5^{2+3}}{2^y \cdot 5^4} = \dfrac{2^x \cdot 5^5}{2^y \cdot 5^4} = 2^{x-y} \cdot 5^{5-4} = 2^{x-y} \cdot 5$

EJEMPLO B

Hace ocho horas, había 120 bacterias en un plato de Petri. Desde entonces, la población ha aumentado 75% cada hora.

a. ¿Cuántas bacterias componen la población ahora?

b. ¿Cuántas bacterias componían la población hace 5 horas?

▶ **Solución**

a. La población ha aumentado durante 8 horas. La población original era de 120 y la tasa de crecimiento es 0.75.

$A(1 + r)^x = 120(1 + 0.75)^8 \approx 10{,}556$

La población actual es de aproximadamente 10,556 bacterias.

b. Hace cinco horas, la población había crecido durante 3 horas.

$120(1 + 0.75)^3 \approx 643$

Hace cinco horas, la población de bacterias era de aproximadamente 643.

Discovering Algebra Condensed Lessons in Spanish
©2004 Key Curriculum Press

LECCIÓN CONDENSADA

7.6 Exponentes cero y negativos

En esta lección

- explorarás el significado de los **exponentes cero y negativos**
- reescribirás expresiones que implican exponentes negativos
- escribirás números muy pequeños en **notación científica**

Todos los exponentes con que has trabajado hasta ahora han sido enteros positivos. En esta lección explorarás el significado de los exponentes cero y negativos.

Investigación: Más exponentes

Pasos 1–2 Usa la propiedad de división de los exponentes para reescribir cada una de las expresiones del Paso 1 en tu libro, de modo que el resultado tenga un solo exponente.

a. $\dfrac{y^7}{y^2} = y^5$ **b.** $\dfrac{3^2}{3^4} = 3^{-2}$ **c.** $\dfrac{7^4}{7^4} = 7^0$ **d.** $\dfrac{2}{2^5} = 2^{-4}$ **e.** $\dfrac{x^3}{x^6} = x^{-3}$

f. $\dfrac{z^8}{z} = z^7$ **g.** $\dfrac{2^3}{2^3} = 2^0$ **h.** $\dfrac{x^5}{x^5} = x^0$ **i.** $\dfrac{m^6}{m^3} = m^3$ **j.** $\dfrac{5^3}{5^5} = 5^{-2}$

Cuando el exponente en el numerador es mayor que el del denominador, el resultado tiene un exponente positivo. Cuando el exponente del numerador es menor que el del denominador, el resultado tiene un exponente negativo. Cuando ambos exponentes son iguales, el resultado tiene un exponente cero.

Pasos 3–6 Observa de nuevo las expresiones del Paso 1 que dieron resultado con exponente negativo. Puedes reescribir estas expresiones de forma diferente si las escribes primero en forma expandida y luego simplificas.

b. $\dfrac{3^2}{3^4} = \dfrac{\cancel{3} \cdot \cancel{3}}{\cancel{3} \cdot \cancel{3} \cdot 3 \cdot 3} = \dfrac{1}{3^2}$ **d.** $\dfrac{2}{2^5} = \dfrac{\cancel{2}}{\cancel{2} \cdot 2 \cdot 2 \cdot 2 \cdot 2} = \dfrac{1}{2^4}$

e. $\dfrac{x^3}{x^6} = \dfrac{\cancel{x} \cdot \cancel{x} \cdot \cancel{x}}{\cancel{x} \cdot \cancel{x} \cdot \cancel{x} \cdot x \cdot x \cdot x} = \dfrac{1}{x^3}$ **j.** $\dfrac{5^3}{5^5} = \dfrac{\cancel{5} \cdot \cancel{5} \cdot \cancel{5}}{\cancel{5} \cdot \cancel{5} \cdot \cancel{5} \cdot 5 \cdot 5} = \dfrac{1}{5^2}$

Compara estos resultados con los del Paso 1. Observa que una base elevada a un exponente negativo es lo mismo que 1 sobre la misma base elevada al opuesto de ese exponente.

Ahora observa de nuevo las expresiones del Paso 1 que dieron como resultado un exponente cero. Puedes reescribir estas expresiones de forma diferente si expandes y simplificas.

a. $\dfrac{7^4}{7^4} = \dfrac{\cancel{7} \cdot \cancel{7} \cdot \cancel{7} \cdot \cancel{7}}{\cancel{7} \cdot \cancel{7} \cdot \cancel{7} \cdot \cancel{7}} = \dfrac{1}{1} = 1$ **g.** $\dfrac{2^3}{2^3} = \dfrac{\cancel{2} \cdot \cancel{2} \cdot \cancel{2}}{\cancel{2} \cdot \cancel{2} \cdot \cancel{2}} = \dfrac{1}{1} = 1$

h. $\dfrac{x^5}{x^5} = \dfrac{\cancel{x} \cdot \cancel{x} \cdot \cancel{x} \cdot \cancel{x} \cdot \cancel{x}}{\cancel{x} \cdot \cancel{x} \cdot \cancel{x} \cdot \cancel{x} \cdot \cancel{x}} = \dfrac{1}{1} = 1$

Así pues, una base elevada a un exponente cero es igual a 1.

(continúa)

Pasos 7–8   Usa lo que has aprendido para reescribir cada expresión del Paso 7 en tu libro, de modo que sólo tenga exponentes positivos y solamente una barra de fracción.

a. $\dfrac{5^{-2}}{1} = 5^{-2} = \dfrac{1}{5^2}$

b. $\dfrac{1}{3^{-8}} = \dfrac{1}{\dfrac{1}{3^8}} = \dfrac{3^8}{1} = 3^8$

c. $\dfrac{4x^{-2}}{z^2 y^{-5}} = \dfrac{\dfrac{4}{x^2}}{\dfrac{z^2}{y^5}} = \dfrac{4}{x^2} \cdot \dfrac{y^5}{z^2} = \dfrac{4y^5}{x^2 z^2}$

Como un método más directo, puedes reescribir fracciones como las anteriores al desplazar las expresiones que tienen exponentes del numerador al denominador y viceversa, siempre y cuando cambies el signo del exponente en cada desplazamiento.

En tu libro, lee el texto y los ejemplos en las páginas 400 a 402. El Ejemplo A te da más práctica en la simplificación de expresiones que implican exponentes. En el Ejemplo B se muestra cómo puedes usar los exponentes negativos para mirar hacia el pasado en situaciones de crecimiento exponencial. En el Ejemplo C se muestra cómo puede usarse la notación científica para escribir números muy pequeños. A continuación se ofrece un ejemplo más que utiliza la notación científica.

EJEMPLO | Convierte cada número de notación estándar a notación científica, o viceversa.

a. Un angström es una unidad diminuta de longitud igual a aproximadamente 0.000000003973 pulgadas.

b. Un protón tiene una masa de aproximadamente 1.67×10^{-24} gramos.

▶ **Solución** | **a.** $0.000000003973 = 3.973 \times 0.000000001$

$$= 3.973 \times \frac{1}{1{,}000{,}000{,}000}$$

$$= 3.973 \times \frac{1}{10^9}$$

$$= 3.973 \times 10^{-9}$$

En general, para reescribir un número menor que 1 en notación científica, cuenta el número de lugares que debes desplazar el punto decimal hacia la derecha para obtener un número entre 1 y 10. Usa el negativo de ese número como el exponente de 10.

b. $1.67 \times 10^{-24} = \dfrac{1.67}{10^{24}}$

$$= \frac{1.67}{1{,}000{,}000{,}000{,}000{,}000{,}000{,}000{,}000}$$

$$= 0.00000000000000000000000167$$

En general, cuando tienes un número en notación científica con exponente negativo, puedes convertirlo a notación estándar desplazando el punto decimal hacia la izquierda el número de lugares indicado por el exponente.

Ajuste de los modelos exponenciales a los datos

En esta lección

- ajustarás **modelos exponenciales** a datos
- usarás modelos exponenciales para **hacer predicciones**

En capítulos anteriores, escribiste ecuaciones para modelar los datos lineales. En esta lección escribirás ecuaciones para modelar datos que muestren un patrón de crecimiento o deterioro exponencial.

Investigación: Deterioro radioactivo

En esta investigación se modela el deterioro radioactivo de una sustancia. A continuación trabajamos con una muestra de datos reunidos en un aula. Sin embargo, si tienes los materiales, es buena idea obtener tus propios datos y hacer una investigación por tu cuenta antes de leer el texto siguiente.

Pasos 1–3 Lee los Pasos 1–3 en tu libro. Aquí se presentan los datos obtenidos por un grupo. La última columna se analizará más adelante.

"Años" transcurridos	"Átomos" restantes	Razones sucesivas
0	201	
1	147	0.7313
2	120	0.8163
3	94	0.7833
4	71	0.7553
5	52	0.7324
6	42	0.8077
7	32	0.7619
8	28	0.8750
9	22	0.7857
10	18	0.8182
11	15	0.8333
12	12	0.8000
13	10	0.8333
14	9	0.9000

Pasos 4–10 A continuación se muestra una gráfica de dispersión de los datos. Observa que los puntos parecen seguir un patrón exponencial.

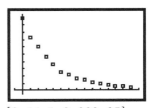

[0, 14, 1, 0, 200, 25]

(continúa)

Lección 7.7 • Ajuste de los modelos exponenciales a los datos (continuación)

Para ajustar una ecuación exponencial a estos datos, necesitas encontrar un número que sirva como el multiplicador constante. Para hacer esto, primero calcula las razones de los valores sucesivos de "átomos restantes". En la tabla se muestran los resultados. Las razones son muy parecidas. Usaremos la media, 0.802, como una razón representativa. Puesto que aproximadamente 0.802 ó 80.2%, de los átomos quedan cada año, aproximadamente 100% − 80.2%, ó 19.8%, de los átomos deterioran.

Por tanto, para escribir una ecuación exponencial que modela esta situación, podemos tomar 201 (el número de "átomos" al inicio del experimento) como el valor inicial y 0.198 como la tasa de deterioro. La ecuación es $y = 201(1 - 0.198)^x$. A continuación se grafica esta ecuación en la misma ventana que la gráfica de dispersión.

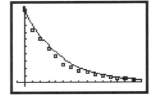

La ecuación no parece ajustarse bien a los datos. Ajusta los valores de A y r hasta que se encajen mejor.

Aquí se presenta la gráfica de $y = 195(1 - 0.220)^x$. Esta ecuación parece ajustarse a los datos bastante bien.

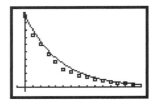

Pasos 11–12 El grupo que reunió los datos de la tabla usó un plato con un ángulo de 68°. La sección contenida por el ángulo constituyó $\frac{68}{360}$ ó 19%, del área del plato. Esto se asemeja a la tasa de deterioro usada en la ecuación del modelo. Esto tiene sentido, pues si las fichas caen en el plato de modo que queden distribuidas de manera uniforme, aproximadamente 19% de ellas caerán en la sección de 68°, es decir, 19% de los átomos deterioran.

Crea una tabla de calculadora para la ecuación del modelo $y = 195(1 - 0.220)^x$. Compara los valores de la tabla de tu calculadora con los de la tabla de datos. Observa que, aunque ninguno de los valores de la tabla de calculadora es exactamente igual a los valores reales de los datos, la mayor parte se aproxima mucho.

Ahora lee el texto y el ejemplo que siguen a la investigación en tu libro.

LECCIÓN CONDENSADA 8.1

Códigos secretos

En esta lección

- usarás una cuadrícula de codificación para escribir un mensaje codificado
- crearás y usarás un **código de desplazamiento de letras**
- determinarás si las relaciones dadas son **funciones**

Has estudiado muchas relaciones entre variables. En esta lección aprenderás sobre un tipo especial de relación conocida como **función**.

Investigación: DPEJHPT TFDSFUPT

La tabla y la cuadrícula en las páginas 424 y 425 de tu libro representan un código de desplazamiento de letras. Lee el texto que precede el Paso 1, donde se explica cómo usar el código para escribir mensajes.

Pasos 1–3 Usa la cuadrícula de codificación para escribir un corto mensaje codificado. Por ejemplo, JHQJQ TU TUSETYVYSQH UIJE es el código para TRATA DE DECODIFICAR ESTO.

Si consideras que las letras A a Z (del alfabeto inglés) corresponden a los números 1 a 26, puedes usar cualquiera de las dos siguientes reglas para codificar una letra:

- Suma 16 al número que corresponde a la letra. Si el resultado es menor que 26, registra la letra correspondiente. Si el resultado es mayor que 26, resta 26 y registra la letra que corresponde al resultado.
- Resta 10 del número que corresponde a la letra. Si el resultado es mayor que 1, registra la letra correspondiente. Si el resultado es menor que 1, suma 26 y registra la letra que corresponde al resultado.

Pasos 4–7 Ahora crea tu propio código escribiendo una regla que desplaza las letras un número especificado de espacios. Después pon tu código en una cuadrícula. La cuadrícula que te presentamos muestra un código en el que las letras se desplazan 5 espacios.

Usando esta cuadrícula, el mensaje TRATA DE DECODIFICAR ESTO es YWFYF IJ IJHTINKNHFW JXYT.

Para cualquier código de desplazamiento de letras, la cuadrícula mostrará dos rectas paralelas de cuadrados sombreados, y ninguna fila ni columna contendrá más de un cuadrado sombreado.

Pasos 8–12 En la página 426 se muestra una cuadrícula para un código diferente. Usa la cuadrícula para decodificar esta palabra: HNKH.

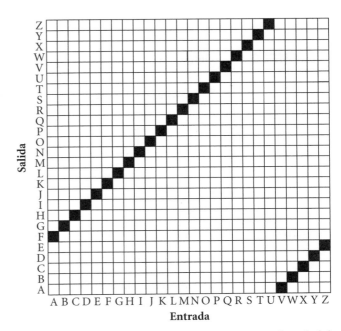

(continúa)

La palabra codificada es AGUA. ¿Fuiste capaz de decodificarla? Tal vez hayas tenido problemas porque algunas de las letras codificadas podrían representar dos letras diferentes en la palabra real. Por ejemplo, H podría ser A o R, y N podría representar G o X.

Ahora usa la cuadrícula para codificar la palabra FUNCIÓN. Debes observar que hay varios códigos posibles. La cuadrícula indica que cada letra entre K y S puede ser codificada de dos maneras.

Usando la cuadrícula en la página 425, es mucho más fácil codificar y decodificar mensajes, porque cada letra de entrada corresponde a exactamente una letra de salida.

Usa una cuadrícula de codificación para crear un esquema de codificación en el cual cada letra de entrada corresponde a una letra de salida y no hay cuadrados sombreados que se toquen. La cuadrícula que presentamos es una posibilidad.

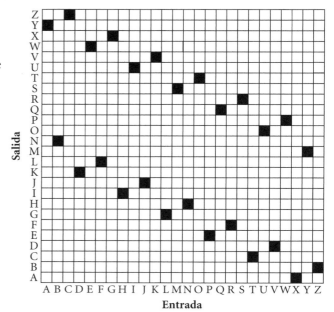

Los códigos que viste en la investigación son relaciones. Una relación, como un código de desplazamiento de letras, para la cual hay exactamente una salida por cada entrada se llama **función.** El conjunto de valores de entrada de una función es el **dominio** de la función, y el conjunto de valores de salida es el **rango.** En el código de desplazamiento de letras, el dominio y el rango son el mismo, pero no es así para todas las funciones.

Lee el texto y el ejemplo que siguen la investigación en tu libro. Aquí se presenta otro ejemplo.

EJEMPLO | Determina si cada tabla siguiente representa una función.

a.

Entrada	Salida
1	4
2	3
3	4
4	3

b.

Entrada	Salida
rojo	rosa
azul	cielo
amarillo	sol
azul	océano

c.

Entrada	Salida
A	a
B	b
C	c
D	d

▶ **Solución** | **a.** Cada entrada tiene exactamente una salida; por tanto es una función.

b. La entrada azul tiene dos salidas (cielo y océano); por tanto no es una función.

c. Cada entrada tiene exactamente una salida; por tanto es una función.

Funciones y gráficas

En esta lección

- representarás relaciones con tablas, gráficas, y ecuaciones
- usarás la **prueba de la recta vertical** para determinar si una relación es una función

Has escrito y utilizado muchas reglas que transforman un número en otro. Por ejemplo, una regla sencilla es "Multiplica cada número por 2". Puedes representar esta regla con una tabla, una ecuación, una gráfica, o un diagrama.

| **Tabla** | **Ecuación** | **Gráfica** | **Diagrama** |

Tabla

Entrada x	Salida y
3	6
-14	-28
9.3	18.6
x	$2x$

Ecuación

$y = 2x$

Gráfica

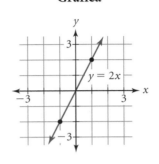

Diagrama

Dominio   Rango

3 ⟶ 6

-14 ⟶ -28

9.3 ⟶ 18.6

En esta lección aprenderás un método para determinar si una regla es una función, basándote en su gráfica.

Investigación: Prueba para funciones

En la página 433 se muestran tres relaciones, cada una en una forma distinta. Primero veremos la Relación A, que está dada como tabla. Observa que cada salida de la tabla es uno más que el doble de la entrada. Puedes representar esta relación con la ecuación $y = 2x + 1$ y con una gráfica.

Tanto el dominio como el rango de la relación $y = 2x + 1$ son el conjunto de todos los números.

Traslada una recta vertical, como el borde de una regla, de un lado de la gráfica al otro. Observa que, en cualquier posición, la recta interseca la gráfica sólo una vez. Esto significa que sólo hay un valor de salida por cada valor de entrada, de modo que la relación es una función.

Ahora considera la Relación B. Aquí se presenta una tabla posible de valores y una gráfica de la relación.

Puedes sustituir cualquier valor de x en $y = 47(1.10)^x$, pero el resultado siempre será mayor que 0, de modo que el dominio es todos los números y el rango es todos los números mayores que 0. Usa la **prueba de la recta vertical** para determinar si esta relación es una función. Debes encontrar que cualquier recta vertical interseca la gráfica sólo una vez, lo cual indica que la relación es una función.

x	y
-15	11.25
-10	18.12
-5	29.18
0	47
5	75.69
10	121.91
15	196.33

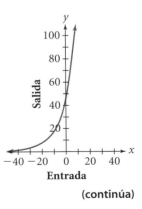

(continúa)

Lección 8.2 • Funciones y gráficas (continuación)

La Relación C se expresa como una gráfica. Puedes representar la gráfica mediante la desigualdad $y < -1 + \frac{2}{3}x$. Aquí se presenta una posible tabla de valores para la relación.

x	y
−4	−5
−1	−4
0	−3
3	0
6	2

Tanto el dominio como el rango de esta relación son el conjunto de todos los números. Si usas la prueba de la recta vertical en la gráfica, encontrarás que cualquier recta vertical interseca la gráfica en más de un punto (de hecho, cualquier recta cruza la gráfica en un número infinito de puntos). Entonces, la Relación C no es una función.

La prueba de la recta vertical te ayuda a determinar si una relación es una función si observas su gráfica. Si todas las rectas posibles cruzan la gráfica una sola vez o nunca, entonces la gráfica es una función. Si apenas una sola recta vertical cruza la gráfica más de una vez, entonces la gráfica no es una función.

Lee el resto de la lección en tu libro. Después lee el ejemplo siguiente.

EJEMPLO

Usa la prueba de la recta vertical para determinar cuales relaciones son funciones.

Relación A   Relación B   Relación C

▶ **Solución**

La Relación A es una función porque cualquier recta vertical cruza la gráfica una sola vez. La Relación B no es una función porque puedes trazar una recta vertical que cruza la gráfica dos veces. La Relación C no es una función porque cualquier recta vertical que pase por un segmento vertical de la gráfica cruza la gráfica más de una vez.

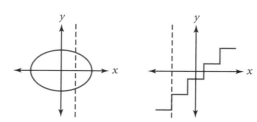

Gráficas de situaciones reales

En esta lección

- escribirás una descripción de una relación del mundo real expresada en una gráfica

- trazarás una gráfica que corresponde a la descripción de una situación real

En esta lección observarás unas gráficas que muestran cómo se relacionan dos cantidades del mundo real. En el ejemplo de la página 440 de tu libro se muestra la relación entre el tiempo y la profundidad del agua en una piscina con fuga. Lee el ejemplo atentamente y asegúrate de entender cómo la descripción de la situación se ajusta a la gráfica. Aquí se presenta otro ejemplo.

EJEMPLO En esta gráfica se muestra el volumen de aire en un globo mientras transcurre el tiempo. Indica qué cantidades varían y cómo se relacionan. Incluye posibles ejemplos de sucesos reales en tu explicación.

▶ Solución La gráfica muestra cómo cambia el volumen de aire con el tiempo. El globo está completamente desinflado durante aproximadamente los dos primeros segundos, es decir, para $0 \leq t \leq 2$. De 2 segundos hasta aproximadamente 4 segundos ($2 \leq t \leq 4$), el globo se infla con una rapidez bastante estable. Entre las marcas de 4 y 5.5 segundos, el volumen permanece constante en aproximadamente 600 pulgadas cúbicas. Tal vez la persona que sopla el globo lo mantiene cerrado mientras descansa un poco. Durante el periodo $5.5 \leq t \leq 8$, el globo se infla de nuevo. De $t = 8$ hasta aproximadamente $t = 9$, el volumen de aire disminuye ligeramente. Puede ser que la persona que lo está inflando descanse de nuevo, pero ahora no cierra completamente el globo, permitiendo que escape el aire. Durante el periodo $9 \leq t \leq 12$, el globo se infla más. Después, de $t = 12$ hasta aproximadamente $t = 16$, el volumen se estabiliza en aproximadamente 2000 pulgadas cúbicas. Tal vez el globo está completamente inflado, de modo que la persona deja de soplar y mantiene el globo cerrado. De aproximadamente $t = 16$ hasta $t = 19$, el globo se desinfla lentamente. Es posible que la persona tiene el globo parcialmente cerrado. Entre $t = 19$ y $t = 22$, el globo se desinfla rápidamente. Quizás la persona haya soltado el globo, dejando que el aire escape con rapidez.

(continúa)

Lección 8.3 • Gráficas de situaciones reales (continuación)

En el ejemplo anterior, el volumen de aire es una función del tiempo. Como el volumen de aire *depende* del tiempo, entonces es la **variable dependiente.** El tiempo es la **variable independiente.** Lee el análisis sobre las variables dependientes e independientes, y sobre el dominio y el rango en la página 441 de tu libro.

Investigación: Identifica las variables

Lee la historia del partido de volibol al inicio de la investigación. En esta situación, la variable independiente es el tiempo en horas. Los valores del dominio son números positivos. En total, el tiempo transcurrido durante el calentamiento antes del partido, el partido, el baile, y la limpieza puede ser aproximadamente 6 horas, de modo que un dominio razonable sería $0 \leq x \leq 6$.

La variable dependiente en esta situación es el número de personas, que debe ser un número entero. El rango podría oscilar entre aproximadamente 10 (el número de personas que quedan en el gimnasio después del baile) y varios cientos (incluyendo los jugadores, los entrenadores, los aficionados y los trabajadores).

Ahora traza una gráfica que se adapte a la historia. Aquí se muestra una posible gráfica.

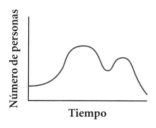

Piensa cómo esta gráfica se ajusta a la descripción en el libro. El número de personas empieza siendo pequeño (cuando solamente los entrenadores, los jugadores, y los trabajadores están en el gimnasio). Entonces el número se aumenta lentamente al principio y después con más rapidez, a medida que más y más aficionados llegan. El número de personas se mantiene más o menos constante durante el partido. Después de que éste termina, el número de personas se disminuye a medida que la mayoría de los aficionados y padres se van. El número se aumenta cuando llegan los estudiantes para el baile y luego se disminuye después del baile.

Crea tu propia gráfica basándote en uno de los escenarios descritos en el Paso 6 de tu libro. Define las variables dependiente e independiente, establece el dominio y el rango, y luego traza la gráfica.

Lee el texto que sigue la investigación en tu libro.

8.4 Notación de funciones

En esta lección

- aprenderás a usar la **notación de funciones**
- usarás una gráfica para evaluar una función para varios valores de entrada
- usarás una ecuación para evaluar una función para varios valores de entrada

La ecuación $y = 1 - 2x$ representa una función. Puedes usar la letra f para nombrar esta función y luego usar la **notación de funciones** para expresarla como $f(x) = 1 - 2x$. Se lee $f(x)$ como "f de x", lo cual significa "el valor de salida de la función f para el valor de entrada x". Así, por ejemplo, $f(2)$ es el valor de $1 - 2x$ cuando x es 2; entonces, $f(2) = -3$. (Observación: En la notación de funciones, los paréntesis *no* significan multiplicación.)

No todas las funciones se expresan como ecuaciones. Aquí se presenta una gráfica de una función g. Aún sin tener la ecuación, puedes usar la notación de funciones para expresar las salidas para diferentes entradas. Por ejemplo, $g(0) = 3$, $g(4) = 6$, y $g(6) = 1$. ¿Puedes encontrar valores x para los cuales $g(x) = 3$?

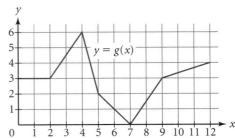

Investigación: Un mensaje gráfico

Observa la gráfica dada al inicio de la investigación. El dominio de esta función es $0 \leq x \leq 26$ y el rango es $0 \leq y \leq 20$.

Observa la secuencia presentada en el Paso 2 de tu libro. Usa la gráfica de f para evaluar la función para las entradas ofrecidas, y encuentra el valor de cada término de la secuencia. Aquí se muestran los resultados.

$f(3) = 5$ $\qquad\qquad$ $f(18) + f(3) = 16 + 5 = 21$ $\qquad$ $f(5) \cdot f(4) = 3 \cdot 4 = 12$

$f(15) \div f(6) = 10 \div 2 = 5$ $\qquad$ $f(20) - f(10) = 20 - 2 = 18$

Entonces, la secuencia es 5, 21, 12, 5, 18.

Ahora observa la secuencia en el Paso 3. Evalúa f para las entradas dadas, y encuentra el valor de cada término de la secuencia. Aquí se muestran los resultados.

$f(0) + f(1) - 3 = 8 + 7 - 3 = 12$

$5 \cdot f(9) = 5 \cdot 1 = 5$

Cuando $f(x) = 10$, $x = 15$

$f(9 + 8) = f(17) = 14$

$\dfrac{f(17) + f(10)}{2} = \dfrac{14 + 2}{2} = 8$

$f(8 \cdot 3) - 5 \cdot f(11) = f(24) - 5 \cdot 3 = 16 - 15 = 1$

$f(4 \cdot 5 - 1) = f(19) = 18$

$f(12) = 4$

(continúa)

Entonces la secuencia es 12, 5, 15, 14, 8, 1, 18, 4.

Ahora piensa en los números 1 a 26 como equivalentes a las letras A a Z (del alfabeto inglés). Sustituye cada número de las secuencias que encontraste en los Pasos 2 y 3 con la letra correspondiente. La secuencia del Paso 2 se convierte en EULER, y la secuencia del Paso 3 se convierte en LEONHARD. Leonhard Euler (que se pronuncia "oiler") inventó gran parte de la notación matemática que se usa en la actualidad.

EJEMPLO

Puedes usar la función $f(x) = -31.25 + 1.35x$ para aproximar la temperatura de sensación térmica $f(x)$ para una temperatura real dada, cuando la velocidad del viento es 15 millas por hora. Tanto x como $f(x)$ están expresadas en grados Fahrenheit. Encuentra $f(x)$ para cada valor dado de x.

a. $f(-10)$ **b.** $f(0)$ **c.** $f(30)$ **d.** $f(5)$

▶ **Solución**

En cada caso, sustituye x en la función por el valor que está entre los paréntesis.

a. $f(-10) = -31.25 + 1.35(-10)$

$$= -31.25 + (-13.5)$$

$$= -44.75$$

b. $f(0) = -31.25 + 1.35(0)$

$$= -31.25 + 0$$

$$= -31.25$$

c. $f(30) = -31.25 + 1.35(30)$

$$= -31.25 + 40.5$$

$$= 9.25$$

d. $f(5) = -31.25 + 1.35(5)$

$$= -31.25 + 6.75$$

$$= -24.5$$

(Consulta **Calculator Note 8A** para aprender cómo evaluar las funciones en tu calculadora.) La calculadora utiliza la notación $Y_1(x)$ en lugar de $f(x)$. La función es la ecuación que introduces en Y_1. Cuando escribes una ecuación para una función, puedes usar cualquier letra que desees para representar las variables y la función. Por ejemplo, puedes usar $W(t) = -31.25 + 1.35t$ para la función de sensación térmica analizada más arriba.

Interpretación de gráficas

En esta lección

- describirás gráficas usando las palabras **creciente, decreciente, lineal,** y **no lineal**
- harás corresponder gráficas con descripciones de situaciones reales
- aprenderás sobre las funciones **continuas** y **discretas**
- usarás intervalos de dominio para ayudarte a describir el comportamiento de una función

Has visto que las gráficas son útiles para mostrar cómo se relacionan las cantidades. En esta lección practicarás interpretar y describir gráficas. En las páginas 452–453 de tu libro se analizan las gráficas de las funciones lineales y no lineales. Lee ese texto atentamente y asegúrate de que lo entiendes.

Investigación: Hacer coincidir

Todas las gráficas del Paso 1 de la investigación muestran funciones **crecientes;** esto significa que a medida que los valores x aumentan, también lo hacen los valores y. En la Gráfica A, los valores de la función aumentan a una tasa constante. En la Gráfica B, los valores aumentan lentamente al principio y después con más rapidez. En la Gráfica C, la función cambia de una tasa constante de crecimiento a otra.

Las gráficas del Paso 2 muestran funciones **decrecientes;** esto significa que a medida que los valores x aumentan, los valores y disminuyen. En la Gráfica D, los valores de la función disminuyen a una tasa constante. En la Gráfica E, los valores disminuyen rápidamente al principio y después más lentamente. En la Gráfica F, la función cambia de una tasa constante de decrecimiento a otra.

Observa ahora las gráficas de la página 454 de la investigación. Después lee la descripción de la Situación A. La variable independiente para esta situación es el tiempo y la variable dependiente es el número de venados. Piensa en cómo cambia la población con el tiempo y traza un bosquejo. Tu bosquejo debe parecerse a la Gráfica 5, que es no lineal al principio y que después aumenta a una tasa creciente. Luego la tasa de cambio disminuye y la gráfica se vuelve casi lineal, con una tasa de cambio muy pequeña. Esto se ajusta a la descripción de la Situación A, en la que se establece que el número de venados aumentó inicialmente en un *porcentaje* estable (indicación de un crecimiento exponencial), y después la tasa de crecimiento se estabiliza.

Lee la Situación B y haz un bosquejo correspondiente. La variable independiente en este caso es el tiempo en días, y la variable dependiente es horas de luz del día. Tu bosquejo debe parecerse a la Gráfica 3, que es una gráfica no lineal que aumenta lentamente al principio, después lo hace con más rapidez, se estabiliza y alcanza su punto máximo, luego disminuye rápidamente para hacerlo después de manera más lenta. Esto corresponde a cómo las horas de luz del día cambian en el curso de un año.

Lee la Situación C y haz un bosquejo correspondiente. La variable independiente es el ancho del jardín, y la variable dependiente es su área. Tu dibujo debe

(continúa)

parecerse a la Gráfica 1, que es no lineal y que empieza en 0, aumenta con rapidez al principio, luego aminora el paso y alcanza su punto máximo, y después disminuye, lentamente al principio y luego con más rapidez. Cuando el ancho es 0, el área también lo es. Esto se ajusta a la descripción de cómo cambia el área con el crecimiento del ancho.

Lee la Situación D y haz un bosquejo correspondiente. La variable independiente es el tiempo, y la variable dependiente es la diferencia entre la temperatura del té y la temperatura del cuarto. Tu bosquejo debe parecerse a la Gráfica 4, que es no lineal y que disminuye rápidamente al principio y luego cada vez más lentamente. Esto se ajusta a la descripción del cambio de temperatura.

Ahora, piensa en otra situación que implique dos variables relacionadas, y describe cómo cambia una de las variables con respecto a la otra. Traza una gráfica para ilustrar tu situación y escribe una descripción de tu gráfica usando las palabras *lineal, no lineal, creciente, decreciente, tasa de cambio, punto máximo,* y *mínimo* o *valor mínimo*.

Las funciones que tienen gráficas lisas, sin rompimientos ni en el dominio ni en el rango, se conocen como funciones **continuas.** Las funciones que no son continuas a menudo implican cantidades, como personas, autos, o pisos de un edificio, que se cuentan o se miden en números enteros. Tales funciones se conocen como funciones **discretas.** Lee sobre las funciones continuas y discretas en la página 455 de tu libro.

En el ejemplo de tu libro se muestra cómo dividir el dominio de una función en intervalos a veces puede ayudarte a describir el comportamiento de la función. A continuación se muestra otro ejemplo.

EJEMPLO   Usa los intervalos señalados en el eje *x* de la gráfica siguiente para ayudarte a analizar dónde la función es creciente o decreciente, y dónde es lineal o no lineal.

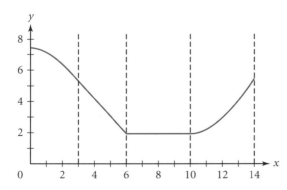

▶ ***Solución***   La función es decreciente en el intervalo $0 \leq x \leq 6$. En el intervalo $0 \leq x \leq 3$, la función es no lineal y disminuye lentamente, después lo hace más rápido. En el intervalo $3 \leq x \leq 6$, la función es lineal y se disminuye a una tasa constante.

En el intervalo $6 \leq x \leq 10$, la función es lineal y no es ni creciente ni decreciente.

En el intervalo $10 \leq x \leq 14$, la función es creciente y no lineal. La función aumenta lentamente al principio y después más rápido.

Definición de la función del valor absoluto

En esta lección

- evaluarás expresiones numéricas que implican **valor absoluto**
- investigarás la **función del valor absoluto**
- resolverás ecuaciones que implican el valor absoluto de una variable

El **valor absoluto** de un número es su tamaño o su magnitud, sea el número positivo o negativo. Puedes pensar en el valor absoluto de un número como su distancia de cero en una recta numérica. Por ejemplo, tanto 7 como -7 distan 7 unidades de cero; entonces, ambos tienen un valor absoluto de 7.

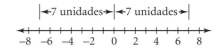

La notación $|x|$ se usa para denotar el valor absoluto de un número o de una expresión. Así pues, $|7| = 7$ y $|-7| = 7$. Lee el Ejemplo A en tu libro.

Investigación: Desviaciones de la media

En esta investigación aprenderás cómo el valor absoluto es útil para describir cuánto un valor de datos se desvía de la media.

Los estudiantes del equipo de matemáticas hicieron una prueba difícil para intentar calificarse para una competencia a nivel estatal. En la primera columna de la tabla siguiente se muestran los resultados de la prueba. Introduce los valores de esta columna en la lista L1 en tu calculadora.

La media de los resultados es 29.8. En la segunda columna de la tabla se muestra la diferencia entre cada resultado y la media. Estos resultados muestran cuánto cada resultado se *desvía* de la media. Introduce la fórmula L1 $-$ 29.8 en la lista L2.

Aquí se muestra un diagrama de puntos de los resultados de la prueba.

Resultado	Desviación (resultado − media)	Distancia desde la media
27	-2.8	2.8
33	3.2	3.2
42	12.2	12.2
22	-7.8	7.8
37	7.2	7.2
20	-9.8	9.8
35	5.2	5.2
33	3.2	3.2
31	1.2	1.2
18	-11.8	11.8

Media = 29.8

18 20 22 24 26 28 30 32 34 36 38 40 42

Resultados de la prueba

En la tercera columna se muestra la distancia entre cada valor y la media. Todos estos valores son positivos. Son los *valores absolutos* de las desviaciones en la segunda columna. Introduce estos valores en la lista L3.

(continúa)

Lección 8.6 • Definición de la función del valor absoluto (continuación)

A continuación se ve una gráfica de dispersión con los valores de L2 (las desviaciones) en el eje x y los valores de L3 (las distancias) en el eje y. Los valores de x son positivos y negativos, mientras que todos los de y son positivos. Si rastreas la gráfica (con el comando *trace*), encontrarás que las entradas positivas se mantienen positivas cuando se convierten en salidas, mientras que las entradas negativas se hacen positivas cuando se convierten en salidas.

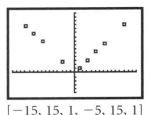

$[-15, 15, 1, -5, 15, 1]$

La gráfica de $y = |x|$ (es decir, $Y_1 = \text{abs}(x)$) se ha agregado a la gráfica. Como cada valor de L3 *es* el valor absoluto del correspondiente valor de L2, esta gráfica pasa por todos los puntos de la gráfica de dispersión.

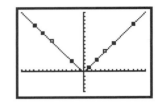

Encuentra la media de las desviaciones de la lista L2 y de las distancias de la lista L3. La media de las desviaciones es 0 y la media de las distancias es 6.44. Cuando calculas la media de las desviaciones, los valores positivos y negativos "se cancelan entre sí", teniendo como resultado una media de 0. La media de las distancias, que son todas positivas, indica mejor la variación de los datos.

Escribe una regla para la función del valor absoluto. Aquí se ofrece una posible regla: Si x es positiva o cero, entonces y es igual a x. Si x es negativa, entonces y es igual al opuesto de x.

Lee el resto de la lección en tu libro, y presta mucha atención al Ejemplo B, que muestra tres métodos para resolver una ecuación que implica el valor absoluto de una variable. Aquí se presenta otro ejemplo.

EJEMPLO | Resuelve la ecuación $-3|x| + 7 = -29$ de manera simbólica.

▸ **Solución**

$-3|x| + 7 = -29$	Ecuación original.
$-3|x| = -36$	Resta 7 de ambos lados.
$|x| = 12$	Divide ambos lados entre -3.
$x = 12$ ó $x = -12$	Encuentra dos números con el valor absoluto de 12.

©2004 Key Curriculum Press

Cuadrados, elevar al cuadrado, y parábolas

En esta lección

- calcularás el **cuadrado** de los números
- investigarás la **función cuadrada** y su gráfica
- usarás la **función raíz cuadrada** para deshacer la función cuadrada

Cuando multiplicas el número 4 por sí mismo, obtienes 16. Obtienes el mismo resultado si multiplicas -4 por sí mismo. El producto de un número multiplicado por sí mismo se llama el **cuadrado** del número y el proceso de multiplicar un número por sí mismo se define como **elevar al cuadrado.** El cuadrado de un número x es "x al cuadrado" y se escribe como x^2.

Cuando elevas un número al cuadrado, necesitas tener cuidado con el orden de las operaciones. Calcula -5^2 y $(-5)^2$ en tu calculadora. Para -5^2, la calculadora eleva 5 al cuadrado y luego toma el opuesto del resultado, lo que da el valor de salida -25. Para $(-5)^2$, la calculadora eleva -5 al cuadrado—es decir, multiplica -5 por sí mismo—lo que da la salida 25.

Investigación: Graficación de una parábola

Pasos 1–5   Construye una tabla de dos columnas con los enteros desde -10 hasta 10 en la primera columna y el cuadrado de cada entero en la segunda. Eleva al cuadrado los números sin usar tu calculadora. Aquí se muestra una parte de la tabla.

Ahora introduce todos los enteros de -10 a 10 en la lista L1 de tu calculadora. Usa la tecla x^2 para elevar cada número al cuadrado. (Consulta **Calculator Note 8B.**) Almacena el resultado en la lista L2. Asegúrate de que los valores de la lista L2 corresponden a los de tu tabla.

Mira los valores de la tabla. Observa que los cuadrados de los números positivos y negativos son positivos y que el cuadrado de un número es igual al cuadrado de su opuesto.

Número (x)	Cuadrado (x^2)
-4	16
-3	9
-2	4
-1	1
0	0
1	1
2	4
3	9
4	16

Haz una gráfica de dispersión para los valores (L1, L2). Después, grafica $y = x^2$ en la misma ventana. La gráfica de $y = x^2$ muestra la relación entre cualquier número y su cuadrado.

Puedes usar la prueba de la recta vertical para verificar que $y = x^2$ es una función. El dominio de esta función es el conjunto de todos los números reales. El rango es el conjunto de los números reales mayores que o iguales a 0.

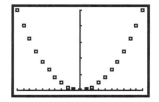

$[-12, 12, 1, -10, 110, 10]$

Pasos 6–10   La gráfica de $y = x^2$ es una **parábola.** Excepto (0, 0), todos los puntos de la parábola están en los Cuadrantes I y II. Observando la gráfica, puedes darte cuenta que cada valor de salida, excepto 0, corresponde a dos valores de entrada. Por ejemplo, la salida 25 corresponde a la entradas -5 y 5, y la salida 6.25 corresponde a las entradas -2.5 y 2.5.

(continúa)

Una recta vertical trazada a través del origen divide la parábola en dos partes que son reflejos exactos. Esta recta (que corresponde al eje y) se conoce como *recta de simetría*. Si doblas la gráfica a lo largo de esta recta, las dos mitades de la parábola deben coincidir exactamente.

Compara la parábola con la gráfica de $y = |x|$. Ambas gráficas se abren hacia arriba, ambas son continuas, ambas solamente tienen valores positivos de y y ambas tienen el eje y como recta de simetría. Sin embargo, la parábola es curvilínea en su parte inferior, mientras que la gráfica del valor absoluto es puntiaguda.

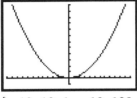 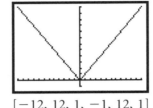

$[-12, 12, 1, -10, 120, 10]$ $[-12, 12, 1, -1, 12, 1]$

Las coordenadas x y y de cada punto de la parábola en el primer cuadrante podrían representar la longitud y el área de un cuadrado. Por ejemplo, el punto (8, 64) representa un cuadrado con lados de longitud 8 y área 64.

Lee el resto de la lección en tu libro que analiza cómo "deshacer" la función cuadrada. Después lee el ejemplo siguiente.

EJEMPLO | Resuelve la ecuación $x^2 - 45 = 19$ de manera simbólica.

▶ **Solución** |

$x^2 - 45 = 19$	Ecuación original.
$x^2 = 64$	Suma 45 a ambos lados.
$\sqrt{x^2} = \sqrt{64}$	Toma la raíz cuadrada de ambos lados.
$|x| = 8$	$|x|$ es la raíz cuadrada positiva de $\sqrt{x^2}$, y 8 es la raíz cuadrada positiva de 64.
$x = 8$ ó $x = -8$	Existen dos soluciones.

Traslación de puntos

En esta lección

- **trasladarás** figuras en el plano de coordenadas
- definirás una **traslación** al describir cómo afecta un punto general (x, y)

Una regla matemática que cambia o desplaza una figura se conoce como una **transformación**. En esta lección explorarás un tipo de transformación.

Investigación: Figuras en movimiento

Pasos 1–6 El triángulo siguiente tiene los vértices $(-1, 2)$, $(1, -1)$, y $(3, 1)$.

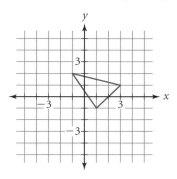

Si sumas 3 a cada coordenada y, obtienes $(-1, 5)$, $(1, 2)$, y $(3, 4)$. Si restas 2 de cada coordenada y, obtienes $(-1, 0)$, $(1, -3)$, y $(3, -1)$. Las cuadrículas siguientes muestran el triángulo original y los triángulos cuyos vértices son los puntos "transformados".

Suma 3 a las coordenadas y

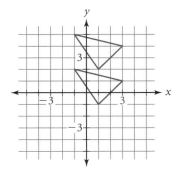

Resta 2 de las coordenadas y

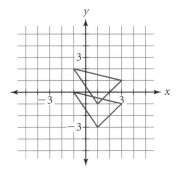

Observa que *sumar* 3 a las coordenadas y desplaza el triángulo *hacia arriba* 3 unidades y que *restar* 2 de las coordenadas y desplaza el triángulo *hacia abajo* 2 unidades.

Ahora dibuja tu propio triángulo y desplázalo sumando o restando un número de las coordenadas y de los vértices.

En cada cuadrícula del Paso 6 en la página 477 se muestra un triángulo original y el triángulo que resulta de sumar un número a, o restar un número de las coordenadas y de los vértices. Trata de determinar cuál número fue sumado o restado.

(continúa)

Aquí están las respuestas del Paso 6.

a. Se sumó 3.   **b.** Se restó 4.   **c.** Se restó 5.

Pasos 7–13   Ahora, dibujarás y desplazarás un polígono usando tu calculadora. Los vértices del cuadrilátero que se muestra en el Paso 7 son $(1, 2)$, $(2, -2)$, $(-3, -1)$, y $(-2, 1)$. Sigue el Paso 8 para introducir las coordenadas y dibujar el cuadrilátero en tu calculadora.

Define las listas L_3 y L_4 de modo que $L_3 = L_1 - 3$ y $L_4 = L_2$. De esa forma, L_3 contiene las coordenadas x originales menos 3, y L_4 contiene las coordenadas y originales. Grafica un nuevo cuadrilátero usando L_3 para las coordenadas x y L_4 para las coordenadas y.

Los vértices del nuevo cuadrilátero son $(-2, 2)$, $(-1, -2)$, $(-6, -1)$, y $(-5, 1)$. Observa que restar 3 de las coordenadas x del cuadrilátero original lo desplaza 3 unidades hacia la izquierda.

Sigue los Pasos 9 y 10 al menos dos veces más, sumando un número diferente a, o restando un número diferente de las coordenadas x cada vez. Debes encontrar que al sumar un número positivo a las coordenadas x, la figura se desplaza hacia la derecha ese número de unidades, y al restar un número positivo de las coordenadas x, la figura se desplaza hacia la izquierda ese número de unidades.

Ahora, supón que $L_3 = L_1 - 1$ y $L_4 = L_2 + 3$. Esto hace que se reste 1 de las coordenadas x originales y se sume 3 a las coordenadas y originales, desplazando el cuadrilátero 1 unidad hacia la izquierda y 3 unidades hacia arriba, como se muestra a continuación.

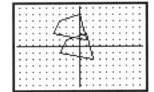

Cada ventana de graficación del Paso 12 muestra el cuadrilátero original y un nuevo cuadrilátero "transformado". Escribe definiciones para L_3 y L_4 en términos de L_1 y L_2, las cuales crearían el cuadrilátero transformado. Aquí se presentan las reglas correctas.

     a. $L_3 = L_1 + 6$, $L_4 = L_2$ **b.** $L_3 = L_1 - 3$, $L_4 = L_2$ **c.** $L_3 = L_1 - 5$, $L_4 = L_2 + 3$

Cuando transformas una figura, el resultado se conoce como la **imagen** de la figura original. Las transformaciones horizontales y verticales, tales como las que exploraste en la investigación, se conocen como **traslaciones**. Puedes definir una traslación al describir la imagen de un punto general (x, y). Por ejemplo, la traslación que desplaza una figura 4 unidades hacia la izquierda y 2 unidades hacia arriba puede definirse como $(x - 4, y + 2)$.

Ahora lee y sigue el ejemplo en tu libro.

Discovering Algebra Condensed Lessons in Spanish
©2004 Key Curriculum Press

Traslación de gráficas

En esta lección

- **trasladarás la función del valor absoluto** y las **funciones cuadráticas**
- **trasladarás** una **función exponencial**
- aprenderás acerca de **familias de funciones**

En la lección anterior trasladaste figuras en el plano de coordenadas. En esta lección aprenderás cómo trasladar funciones.

Investigación: Traslación de funciones

Pasos 1–6 Si sustituyes x por $x - 3$ en la función del valor absoluto $y = |x|$, obtienes $y = |x - 3|$. Puedes pensar en este proceso como encontrar $f(x - 3)$ cuando $f(x) = |x|$. Introduce $y = |x|$ en Y1 y $y = |x - 3|$ en Y2, y grafica ambas funciones.

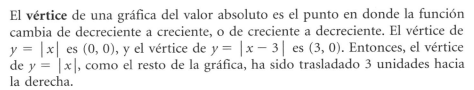

Observa que la gráfica de $y = |x - 3|$ es la gráfica de $y = |x|$ trasladada 3 unidades hacia la derecha.

El **vértice** de una gráfica del valor absoluto es el punto en donde la función cambia de decreciente a creciente, o de creciente a decreciente. El vértice de $y = |x|$ es $(0, 0)$, y el vértice de $y = |x - 3|$ es $(3, 0)$. Entonces, el vértice de $y = |x|$, como el resto de la gráfica, ha sido trasladado 3 unidades hacia la derecha.

La función $y = |x - (-4)|$ ó $y = |x + 4|$ traslada la gráfica de $y = |x|$ hacia la izquierda 4 unidades. Para obtener $y = |x + 4|$, sustituyes x por $x + 4$ en $y = |x|$.

Escribe una función para crear cada traslación de $y = |x|$ mostrada en el Paso 6. Usa tu calculadora para verificar tu trabajo. Debes obtener estos resultados.

a. $y = |x - 2|$ **b.** $y = |x - 5|$ **c.** $y = |x + 3|$

Pasos 7–12 Ahora trasladarás $y = |x|$ a lo largo del eje y.

Si sustituyes y por $y - 3$ en $y = |x|$, obtienes $y - 3 = |x|$ ó (resolviendo para y) $y = 3 + |x|$. Aquí se presentan las gráficas de $y = |x|$ y $y = 3 + |x|$ en los mismos ejes.

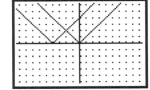

Observa que la gráfica de $y = 3 + |x|$ es la gráfica de $y = |x|$ trasladada hacia arriba 3 unidades. El vértice de $y = 3 + |x|$ es $(0, 3)$, que es el vértice de $y = |x|$ trasladado hacia arriba 3 unidades.

Si sustituyes y por $y - (-3)$ ó $y + 3$ en $y = |x|$, obtienes $y + 3 = |x|$ ó $y = -3 + |x|$. La gráfica de $y = -3 + |x|$ es la gráfica de $y = |x|$ trasladada hacia abajo 3 unidades.

Escribe una función para crear cada traslación de $y = |x|$ mostrada en el Paso 12. Usa tu calculadora para verificar tu trabajo. Debes obtener estos resultados.

a. $y = -2 + |x|$ **b.** $y = 1 + |x|$ **c.** $y = -4 + |x - 3|$

(continúa)

Paso 13 Has visto que para trasladar la gráfica de $y = |x|$ horizontalmente, restas un número de x en la función. Restar un número positivo traslada la gráfica hacia la derecha, y restar un número negativo traslada la gráfica hacia la izquierda. Para trasladar una gráfica verticalmente, sumas un número a la función completa. Sumar un número positivo traslada la gráfica hacia arriba, y sumar un número negativo traslada la gráfica hacia abajo.

EJEMPLO

Las mismas ideas que usaste para trasladar la función del valor absoluto pueden usarse para trasladar la función $y = x^2$.

Aquí está la gráfica de $y = x^2$ y $y = (x + 2)^2$.

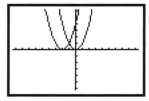

Aquí está la gráfica de $y = x^2$ y $y = x^2 - 3$.

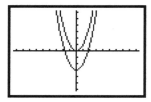

Aquí está la gráfica de $y = x^2$ y $y = (x + 5)^2 + 2$.

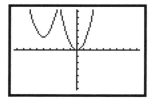

El vértice de una parábola es el punto donde la gráfica cambia de decreciente a creciente, o de creciente a decreciente. Los vértices de las parábolas anteriores son $(-2, 0)$, $(0, 3)$, y $(-5, 2)$. Observa que la coordenada x del vértice es el valor restado de x en la función y que la coordenada y es el valor sumado a la función completa.

Las funciones $y = |x|$ y $y = x^2$ son ejemplos de **funciones madres.** Al transformar una función madre, puedes crear un número infinito de funciones de la misma **familia de funciones.** Por ejemplo, las funciones $y = (x + 2)^2$ y $y = x^2 - 4$ son parte de la familia de funciones cuadráticas, que tienen $y = x^2$ como la función madre.

Ahora lee el Ejemplo B en tu libro, que te muestra cómo puedes trasladar una función exponencial.

Reflexión de puntos y gráficas

En esta lección

- **reflejarás polígonos** a través de los ejes x y y
- **reflejarás gráficas de funciones** a través de los ejes x y y
- escribirás ecuaciones para las gráficas creadas al **combinar transformaciones**

Has estudiado traslaciones—transformaciones que deslizan una figura de manera horizontal o vertical. En esta lección aprenderás sobre transformaciones que voltean una figura a través de una recta.

Investigación: Volteo de gráficas

Pasos 1–5 El triángulo de la página 492 de tu libro tiene vértices $(1, 5)$, $(3, 1)$, y $(6, 2)$. La cuadrícula siguiente muestra el triángulo original y el triángulo formado al cambiar el signo de la coordenada x de cada vértice para obtener $(-1, 5)$, $(-3, 1)$, y $(-6, 2)$.

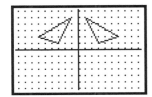

Cambiar los signos de las coordenadas x *voltea* la figura a través del eje y, creando un reflejo exacto del original. Si doblas la cuadrícula a lo largo del eje y, verás que las dos imágenes se ajustan perfectamente.

La cuadrícula siguiente muestra el triángulo original y el triángulo formado al cambiar el signo de la coordenada y de cada vértice, para obtener $(1, -5)$, $(3, -1)$, y $(6, -2)$.

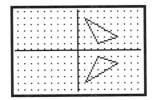

Cambiar los signos de las coordenadas y *voltea* una figura a través del eje x, creando un reflejo exacto del original. Si doblas la cuadrícula a lo largo del eje x, verás que las dos imágenes se ajustan perfectamente.

Cambias los signos de ambas coordenadas x y y para obtener $(-1, -5)$, $(-3, -1)$, y $(-6, -2)$. Esta transformación voltea la figura a través de un eje y después a través del otro.

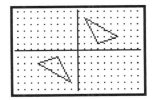

(continúa)

Lección 9.3 • Reflexión de puntos y gráficas (continuación)

Pasos 6–10   Si sustituyes $-x$ por x de la función $y = 2^x$, obtienes $y = 2^{-x}$. (Esto es lo mismo que hallar $f(-x)$ cuando $f(x) = 2^x$.) Si graficas ambas funciones en tu calculadora, verás que la gráfica de $y = 2^{-x}$ es la gráfica de $y = 2^x$ volteada a través del eje y.

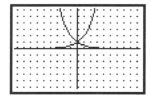

Si sustituyes $-y$ por y en $y = 2^x$, obtienes $-y = 2^x$ ó (resolviendo para y) $y = -2^x$. (Esto es lo mismo que hallar $-f(x)$ cuando $f(x) = 2^x$.) Si graficas ambas funciones en tu calculadora, verás que la gráfica de $y = -2^x$ es la gráfica de $y = 2^x$ volteada a través del eje x.

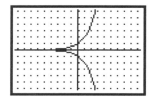

En cada función del Paso 9, sustituye $-x$ por x y grafica la función original y la nueva función. En cada caso, debes encontrar que la gráfica de la función original se voltea a través del eje y para obtener la gráfica de la nueva función. (Observación: Debido a que la gráfica de $y = |x|$ es simétrica a lo largo del eje y, se ve igual cuando se voltea a través del eje y. Entonces, las gráficas de $y = |x|$ y $y = |-x|$ son idénticas.)

En cada función del Paso 9, sustituye $-y$ por y y grafica la función original y la nueva función. En cada caso, debes encontrar que la gráfica de la función original se voltea a través del eje x para obtener la gráfica de la nueva función.

Una transformación que voltea una figura para crear un reflejo exacto se conoce como **reflexión.** Como has descubierto en la investigación, un punto se **refleja a través del eje x** cuando cambias el signo de su coordenada y. Un punto se **refleja a través del eje y** cuando cambias el signo de la coordenada x. Igualmente, una función se refleja a través del eje x cuando cambias el signo de y, y una función se refleja a través del eje y cuando cambias el signo de x.

Lee el resto de la lección en tu libro. Lee el ejemplo con mucha atención. Allí se explica cómo escribir ecuaciones de gráficas creadas al aplicar más de una transformación a la gráfica de una función madre.

LECCIÓN CONDENSADA 9.4

Estiramiento y encogimiento de gráficas

En esta lección

- **estirarás** y **encogerás** un **cuadrilátero**
- **estirarás** y **encogerás** la gráfica de una **función**
- escribirás las ecuaciones de gráficas formadas al **combinar transformaciones**

Has aprendido sobre transformaciones que deslizan una figura de manera horizontal o vertical y que voltean una figura a través de una recta. En esta lección estudiarás una transformación que cambia la forma de una figura.

Investigación: Cambio de la forma de una gráfica

Pasos 1–5   Copia el cuadrilátero que se encuentra en la página 502 de tu libro, en un papel cuadriculado, o introduce las coordenadas x en la lista L1 y las coordenadas y en la lista L2. Las coordenadas de los vértices son $(1, 3)$, $(2, -1)$, $(-3, 0)$, y $(-2, 2)$.

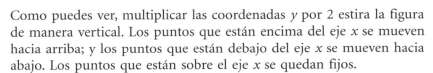

Multiplica la coordenada y de cada vértice por 2, para obtener $(1, 6)$, $(2, -2)$, $(-3, 0)$, y $(-2, 4)$. En la misma cuadrícula que la figura original, traza un nuevo cuadrilátero con estos nuevos puntos como vértices; o sigue las instrucciones en tu libro para graficarlo en tu calculadora.

Como puedes ver, multiplicar las coordenadas y por 2 estira la figura de manera vertical. Los puntos que están encima del eje x se mueven hacia arriba; y los puntos que están debajo del eje x se mueven hacia abajo. Los puntos que están sobre el eje x se quedan fijos.

Ahora, multiplica las coordenadas y de los vértices del cuadrilátero original por 3, por 0.5, y por -2, y traza los cuadriláteros resultantes. A continuación se muestran los resultados para 0.5 y -2.

Multiplica por 0.5

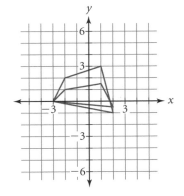

Multiplica por -2

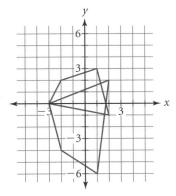

Multiplicar por 0.5 encoge la figura verticalmente a la mitad de su tamaño original. Multiplicar por -2 estira la figura verticalmente y la voltea a través del eje x. En general, multiplicar la coordenada y de una figura por un número a

- estira la figura si $|a| > 1$ y la encoge si $|a| < 1$
- refleja la figura a través del eje x si $a < 0$

(continúa)

Lección 9.4 • Estiramiento y encogimiento de gráficas (continuación)

Pasos 6–8   Grafica el triángulo que se muestra en el Paso 6 en tu calculadora, colocando las coordenadas x en la lista L1 y las coordenadas y en la lista L2. Después, prognostica cómo las definiciones de las partes a y b del Paso 7 transformarán el triángulo, y usa tu calculadora para verificar tus respuestas. Aquí se presentan los resultados.

a. La figura se encoge verticalmente a la mitad de su tamaño original y se voltea a través del eje x.

b. La figura se estira verticalmente al doble de su tamaño original y se traslada hacia abajo 2 unidades.

En el Paso 8, escribe definiciones para las listas L3 y L4 que crearían cada imagen. Aquí están las respuestas.

a. L3 = L1; L4 = 3 · L2   **b.** L3 = L1; L4 = 2 · L2 + 3

Pasos 9–13   Introduce la ecuación $f(x) = -x^2 + 1$ como Y1 y grafícala en tu calculadora. Multiplica el lado derecho de la ecuación por 2—es decir, halla $y = 2 \cdot f(x)$—e introduce el resultado, $y = 2(-x^2 + 1)$, como Y2. A continuación se presentan una gráfica y una tabla de las dos funciones.

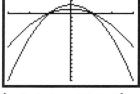

En la tabla, observa que cada valor y en la ecuación $y = 2(-x^2 + 1)$ es el doble del correspondiente valor y en $y = 1 - x^2$. Esto ocasiona que la gráfica se estire. Los puntos de la gráfica de $y = 2(-x^2 + 1)$ se ubican dos veces más lejos del eje x que los puntos correspondientes de la gráfica de $y = -x^2 + 1$. Multiplicar por 2 ocasiona que los puntos que están por encima del eje x se muevan hacia arriba y que los puntos colocados debajo del eje x se muevan hacia abajo.

$[-3, 3, 1, -16, 3, 1]$

Repite el proceso anterior para $y = 0.5 \cdot f(x)$, $y = 3 \cdot f(x)$, y $y = -2 \cdot f(x)$. Debes encontrar lo siguiente:

• Multiplicar por 0.5 da valores y que son la mitad de los valores correspondientes de y en la función original, lo cual tiene como resultado un encogimiento vertical.

• Multiplicar por 3 da valores y que son 3 veces los valores correspondientes de y en la función original , lo cual tiene como resultado un estiramiento vertical.

• Multiplicar por -2 da valores y que son -2 veces los correspondientes valores de y en la función original, lo cual tiene como resultado un estiramiento vertical y una reflexión a través del eje x.

Observa las gráficas del Paso 13. Usa lo que has aprendido sobre el estiramiento y el encogimiento de gráficas para escribir una ecuación para $R(x)$ en términos de $B(x)$, y una ecuación para $B(x)$ en términos de $R(x)$. Debes obtener los resultados siguientes:

a. $R(x) = 3 \cdot B(x)$; $B(x) = \frac{1}{3} \cdot R(x)$
b. $R(x) = -\frac{1}{2} \cdot B(x)$; $B(x) = -2 \cdot R(x)$

Lee el resto de la lección, incluyendo los ejemplos, con mucha atención.

Introducción a las funciones racionales

En esta lección

- explorarás transformaciones de la función madre $y = \frac{1}{x}$
- harás predicciones sobre la forma gráfica de una **función racional,** basándote en su ecuación

En el Capítulo 3, aprendiste sobre la variación inversa. La ecuación más sencilla de variación inversa es $y = \frac{1}{x}$. En la página 513 de tu libro, lee sobre $y = \frac{1}{x}$ y su gráfica. En esta lección verás cómo la función madre $y = \frac{1}{x}$ puede ayudarte a entender muchas otras funciones.

Investigación: Estoy intentando ser racional

Pasos 1–5 Grafica la función madre $y = \frac{1}{x}$ en tu calculadora. Todas las funciones del Paso 2 son transformaciones de $y = \frac{1}{x}$. Usa lo que has aprendido en este capítulo para predecir cómo la gráfica de cada función se comparará con la gráfica de $y = \frac{1}{x}$. Las respuestas se muestran a continuación.

a. Estiramiento vertical por un factor de 3 y reflexión a través del eje x

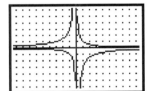

b. Estiramiento vertical por un factor de 2 y traslación 3 unidades hacia arriba

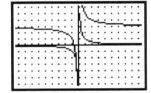

c. Traslación 2 unidades a la derecha

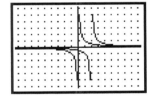

d. Traslación 1 unidad a la izquierda y 2 unidades hacia abajo

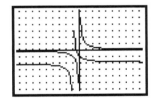

Ahora, sin graficar, describe como se ve la gráfica de cada función del Paso 4. Usa las palabras *lineal, no lineal, creciente,* y *decreciente*. Define el dominio y el rango, y ofrece ecuaciones para las asíntotas. A continuación se muestran unas respuestas posibles.

La Gráfica a es un estiramiento vertical de $y = \frac{1}{x}$ por un factor de 5, seguido por una traslación 4 unidades a la derecha; es no lineal y decreciente; el dominio es $x \neq 4$ y el rango es $y \neq 0$; hay asíntotas en $x = 4$ y $y = 0$.

La Gráfica b es una reflexión de $y = \frac{1}{x}$ a través del eje x, seguida por una traslación 3 unidades a la izquierda y 5 unidades hacia abajo; es no lineal y creciente; el dominio es $x \neq -3$ y el rango es $y \neq -5$; hay asíntotas en $x = -3$ y $y = -5$.

(continúa)

La Gráfica c es un estiramiento vertical de $y = \frac{1}{x}$ por un factor de $|a|$ (si $a < 0$, la gráfica también se refleja a través del eje x), seguido por una traslación horizontal de h unidades y una vertical de k unidades; es no lineal y decreciente si a es positiva, y no lineal y creciente si a es negativa; el dominio es $x \neq h$ y el rango es $y \neq k$; hay asíntotas en $x = h$ y $y = k$.

Funciones como $y = \frac{5}{x-4}$ se conocen como **funciones racionales** porque implican las razones de dos expresiones. No todas las funciones racionales son transformaciones de $y = \frac{1}{x}$, pero la gráfica de cualquier función racional comparte algunas similitudes con la gráfica de $y = \frac{1}{x}$.

Pasos 6–12 Grafica $y = \frac{x+3}{(x-2)(x+3)}$ en tu calculadora. Compara esta gráfica con las gráficas de las funciones del Paso 2. Debes hallar que esta gráfica se parece a la gráfica de $y = \frac{1}{x-2}$.

Si rastreas la gráfica (con el comando *trace*), debes encontrar que existe un "hoyo" en $x = -3$. El hoyo se presenta porque la función no se define en $x = -3$ (el denominador es 0 en este valor). Sin embargo, para $x \neq -3$,

$$y = \frac{x+3}{(x-2)(x+3)} = \frac{1}{x-2} \cdot \frac{x+3}{x+3} = \frac{1}{x-2} \cdot 1 = \frac{1}{x-2}$$

Entonces, $y = \frac{x+3}{(x-2)(x+3)}$ es idéntica a $y = \frac{1}{x-2}$ para $x \neq -3$ y es indefinida para $x = -3$.

Ahora grafica la ecuación del Paso 9. Debes encontrar que tiene asíntotas verticales en $x = -5$ y $x = 1$ y una asíntota horizontal en $y = 4$.

En general, las siguientes son características de la gráfica de una función racional:

- Un hoyo se presenta en $x = h$, cuando el factor $(x - h)$ existe *tanto* en el numerador *como* en el denominador.

- Una asíntota vertical se presenta en $x = h$, si el factor $(x - h)$ existe en el denominador, pero *no* en el numerador.

- Una asíntota horizontal se presenta en $y = k$, cuando k es la constante de la ecuación.

Ahora lee el ejemplo en tu libro, que usa una función racional para modelar una situación real.

Transformaciones con matrices

En esta lección

- relacionarás las traslaciones con la **suma de matrices**
- relacionarás las reflexiones, los estiramientos, y los encogimientos con la **multiplicación de matrices**

En tu libro, lee el texto que precede la investigación, que explica cómo usar una matriz para representar los vértices de una figura geométrica.

Investigación: Transformaciones matriciales

Pasos 1–6 La matriz $[A] = \begin{bmatrix} -4 & 3 & 2 \\ -1 & 4 & 0 \end{bmatrix}$ representa
un triángulo con los vértices $(-4, -1)$, $(3, 4)$, y $(2, 0)$.

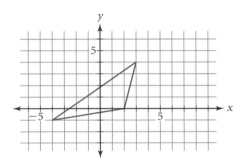

Al sumar la matriz $\begin{bmatrix} 5 & 5 & 5 \\ 0 & 0 & 0 \end{bmatrix}$ a la matriz $[A]$, se suma 5
a cada coordenada x, lo cual traslada el triángulo 5
unidades a la derecha:

$$[A] + \begin{bmatrix} 5 & 5 & 5 \\ 0 & 0 & 0 \end{bmatrix} = \begin{bmatrix} -4 & 3 & 2 \\ -1 & 4 & 0 \end{bmatrix} + \begin{bmatrix} 5 & 5 & 5 \\ 0 & 0 & 0 \end{bmatrix} = \begin{bmatrix} 1 & 8 & 7 \\ -1 & 4 & 0 \end{bmatrix}$$

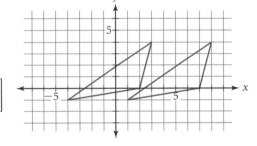

En las partes a–c del Paso 5, halla la suma matricial y grafica el triángulo resultante. Debes encontrar que las sumas corresponden a las siguientes traslaciones del triángulo original.

a. 4 unidades hacia abajo

b. 5 unidades a la derecha, 4 unidades hacia abajo

c. 6 unidades a la izquierda, 4 unidades hacia arriba

Ahora escribe unas ecuaciones matriciales para representar las traslaciones del Paso 6. Aquí se presentan las respuestas.

a. $\begin{bmatrix} 0 & 0 & 1 & 1 \\ 0 & 1 & 1 & 0 \end{bmatrix} + \begin{bmatrix} 2 & 2 & 2 & 2 \\ 1.5 & 1.5 & 1.5 & 1.5 \end{bmatrix} = \begin{bmatrix} 2 & 2 & 3 & 3 \\ 1.5 & 2.5 & 2.5 & 1.5 \end{bmatrix}$

b. $\begin{bmatrix} -3 & -2 & 1 & 2 \\ -1 & 1 & 2 & -2 \end{bmatrix} + \begin{bmatrix} -10.4 & -10.4 & -10.4 & -10.4 \\ 6.9 & 6.9 & 6.9 & 6.9 \end{bmatrix} = \begin{bmatrix} -13.9 & -12.4 & -9.4 & -8.4 \\ 5.9 & 7.9 & 8.9 & 4.9 \end{bmatrix}$

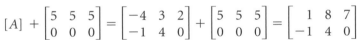

(continúa)

Lección 9.7 • Transformaciones con matrices (continuación)

Pasos 7–11 Copia el cuadrilátero de la página 521 en papel cuadriculado. La matriz $[B] = \begin{bmatrix} 2 & 3 & 6 & 7 & x \\ 2 & 4 & 5 & 1 & y \end{bmatrix}$ da las coordenadas de los vértices, junto con las coordenadas de un punto general, (x, y).

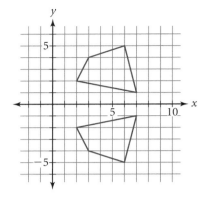

El cálculo $\begin{bmatrix} 1 & 0 \\ 0 & -1 \end{bmatrix} \cdot [B]$ multiplica cada coordenada y por -1, lo cual refleja el cuadrilátero a través del eje x:

$$\begin{bmatrix} 1 & 0 \\ 0 & -1 \end{bmatrix}\begin{bmatrix} 2 & 3 & 6 & 7 & x \\ 2 & 4 & 5 & 1 & y \end{bmatrix} = \begin{bmatrix} 2 & 3 & 6 & 7 & x \\ -2 & -4 & -5 & -1 & -y \end{bmatrix}$$

Ahora, realiza las multiplicaciones del Paso 11 y grafica los cuadriláteros resultantes. Debes obtener los siguientes resultados:

a. $\begin{bmatrix} -1 & 0 \\ 0 & 1 \end{bmatrix}\begin{bmatrix} 2 & 3 & 6 & 7 & x \\ 2 & 4 & 5 & 1 & y \end{bmatrix} = \begin{bmatrix} -2 & -3 & -6 & -7 & -x \\ 2 & 4 & 5 & 1 & y \end{bmatrix}$. Las coordenadas x son multiplicadas por -1. Esto refleja el cuadrilátero a través del eje y.

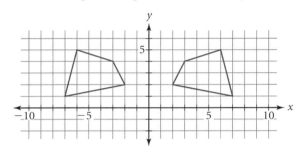

b. $\begin{bmatrix} 1 & 0 \\ 0 & 0.5 \end{bmatrix}\begin{bmatrix} 2 & 3 & 6 & 7 & x \\ 2 & 4 & 5 & 1 & y \end{bmatrix} = \begin{bmatrix} 2 & 3 & 6 & 7 & x \\ 1 & 2 & 2.5 & 0.5 & 0.5y \end{bmatrix}$.
Las coordenadas y son multiplicadas por 0.5. Esto encoge el cuadrilátero verticalmente por un factor de 0.5.

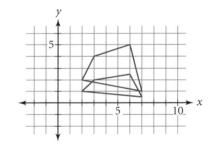

c. $\begin{bmatrix} 0.5 & 0 \\ 0 & 2 \end{bmatrix}\begin{bmatrix} 2 & 3 & 6 & 7 & x \\ 2 & 4 & 5 & 1 & y \end{bmatrix} = \begin{bmatrix} 1 & 1.5 & 3 & 3.5 & x \\ 4 & 8 & 10 & 2 & 2y \end{bmatrix}$.
Las coordenadas x son multiplicadas por 0.5 y las coordenadas y son multiplicadas por 2. Esto encoge el cuadrilátero horizontalmente por un factor de 0.5 y lo estira verticalmente por un factor de 2.

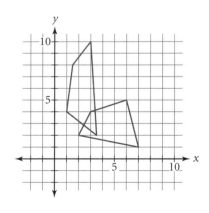

Discovering Algebra Condensed Lessons in Spanish
©2004 Key Curriculum Press

Resolución de ecuaciones cuadráticas

En esta lección

- verás las **funciones cuadráticas** que modelan el **movimiento de proyectiles**
- usarás tablas y gráficas para aproximar soluciones a las **ecuaciones cuadráticas**
- **resolverás ecuaciones cuadráticas** deshaciendo el orden de las operaciones

Cuando un objeto se proyecta verticalmente al aire, su posición en cualquier momento depende de su altura inicial, su velocidad inicial, y la fuerza de gravedad. Si graficas la altura del objeto en cada instante, la gráfica resultante es una parábola. Lee el Ejemplo A en tu libro y observa la gráfica de la altura de una pelota de béisbol lanzada hacia arriba, con respecto al tiempo.

El movimiento de un objeto proyectado al aire puede modelarse por una **función cuadrática.** Una función cuadrática es cualquier transformación de la función madre, $f(x) = x^2$.

Investigación: La ciencia de los cohetes

Un cohete modelo despega desde una posición a 2.5 metros por encima del suelo, con una velocidad inicial de 49 m/seg. Si el cohete se desplaza hacia arriba verticalmente, y si la gravedad es la única fuerza que actúa en él, entonces el **movimiento de proyectil** del cohete puede describirse mediante la función

$$h(t) = \frac{1}{2}(-9.8)t^2 + 49t + 2.5$$

en la cual t es el número de segundos transcurridos después del despegue y $h(t)$ es la altura al tiempo t.

El hecho de que $h(0) = 2.5$ significa que la altura inicial del cohete es 2.5 metros.

En unidades métricas, la aceleración debida a la gravedad es 9.8 m/seg². Este valor aparece en el término t^2 de la ecuación $\frac{1}{2}(-9.8)t^2$. El signo negativo muestra que la fuerza es decendente.

Grafica la función en tu calculadora. Asegúrate de usar una ventana que muestre todas las características importantes de la parábola. Aquí se presenta la gráfica en la ventana $[-1, 12, 1, -10, 150, 10]$.

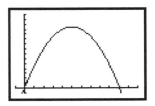

Puedes rastrear la gráfica (con el comando *trace*) para hallar las coordenadas del punto más alto (el vértice).

Las coordenadas son (5, 125), lo cual indica que el cohete alcanza una altura máxima de 125 metros, a los 5 segundos después del despegue.

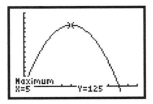

Para hallar la cantidad de tiempo que el cohete está en vuelo, encuentra las coordenadas del punto donde la gráfica interseca el lado positivo del eje x. Las coordenadas son (10.05, 0), lo cual indica que el cohete toca el suelo (es decir, la altura es 0) después de 10.05 segundos. Entonces, el vuelo del cohete dura poco más de 10 segundos.

Para hallar el valor de t cuando $h(t) = 50$, necesitarías resolver

$$\frac{1}{2}(-9.8)t^2 + 49t + 2.5 = 50$$

(continúa)

En una tabla de calculadora se muestra que las soluciones aproximadas de esta ecuación son 1.1 y 8.9, lo que indica que el cohete está a una altura de 50 metros después de aproximadamente 1.1 segundos (cuando está subiendo) y después de 8.9 segundos (cuando está bajando).

En una gráfica, las soluciones son las coordenadas x de los puntos donde las gráficas de $h(t) = \frac{1}{2}(-9.8)t^2 + 49t + 2.5$ y de $h(t) = 50$ se intersecan.

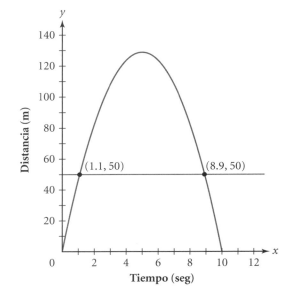

En la investigación, aproximaste soluciones a una ecuación cuadrática usando tablas y gráficas. Para resolver una ecuación cuadrática usando los métodos simbólicos que ya conoces, debes poner la ecuación en una forma particular. En el Ejemplo B de tu libro se resuelve una ecuación cuadrática "deshaciendo" el orden de las operaciones. A continuación se presenta otro ejemplo. (Observación: Más adelante, aprenderás nuevos métodos que te permitirán resolver cualquier ecuación cuadrática.)

EJEMPLO Resuelve $-2(x - 1)^2 + 9 = 4$ de manera simbólica.

▶ **Solución** Deshaz cada operación igual como lo harías cuando resuelves una ecuación lineal. Mantén la ecuación balanceada haciendo lo mismo en ambos lados. Para eliminar el cuadrado, saca la raíz cuadrada en ambos lados.

$-2(x - 1)^2 + 9 = 4$	La ecuación original.
$-2(x - 1)^2 = -5$	Resta 9 de ambos lados.
$(x - 1)^2 = 2.5$	Divide ambos lados entre -2.
$\sqrt{(x - 1)^2} = \sqrt{2.5}$	Saca la raíz cuadrada de ambos lados.
$x - 1 = \pm\sqrt{2.5}$	El signo $\pm$ muestra los dos números $+\sqrt{2.5}$ y $-\sqrt{2.5}$, cuyos cuadrados son 2.5.
$x = 1 \pm \sqrt{2.5}$	Suma 1 a ambos lados.

Las dos soluciones son $1 + \sqrt{2.5}$ y $1 - \sqrt{2.5}$, ó aproximadamente 2.58 y -0.58.

Lee el resto de la investigación en tu libro.

LECCIÓN CONDENSADA 10.2
Hallar las raíces y el vértice

En esta lección

- modelarás una situación real con una función cuadrática
- identificarás las **intersecciones *x*,** el **vértice,** y la **recta de simetría** de una parábola
- reescribirás una función cuadrática en **forma de vértice**

Has observado funciones cuadráticas que modelan el movimiento de un proyectil. En esta lección explorarás otra situación que puede modelarse con una función cuadrática.

Investigación: Sacando el mayor provecho

Supón que tienes 24 metros de cerca para delimitar un espacio rectangular que servirá como jardín. En la tabla se muestra el ancho, el largo, y el área de algunos cercados que puedes construir.

Ancho (m)	0	1	3.5	5	6	8	10.5	12
Largo (m)	12	11	8.5	7	6	4	1.5	0
Área (m²)	0	11	29.75	35	36	32	15.75	0

Observa que los valores del ancho de 0 y 12 dan áreas de 0. Introduce los valores del ancho en la lista L1 y los valores del área en la lista L2.

Haz una gráfica de los puntos (x, y), en los que x es el ancho del rectángulo y y es el área. Grafica puntos adicionales para ayudarte a determinar la forma de la gráfica. Los puntos parecen caer en forma de parábola. Cualquier valor de número real entre 0 y 12 sería posible para el ancho, de modo que puedes conectar los puntos con una curva lisa.

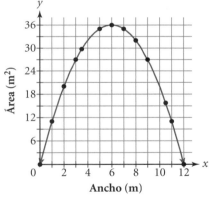

Parece que la gráfica alcanza su punto más alto en (6, 36), que indica que el rectángulo con un ancho de 6 metros tiene el área mayor, 36 metros cuadrados. La longitud de este rectángulo es también de 6 metros, así que el rectángulo es un cuadrado.

Un jardín con un ancho de 2 metros tiene una longitud de 10 metros. Un jardín con un ancho de 4.3 metros tiene una longitud de 7.7 metros. En general, si x es el ancho del jardín, la longitud es $12 - x$ y la ecuación para el área y es $y = x(12 - x)$. En la misma ventana, grafica esta ecuación y los valores (L1, L2).

Al rastrear la gráfica de $y = x(12 - x)$ para hallar las coordenadas del vértice, puedes verificar que el cuadrado con lados de 6 metros tiene el área máxima.

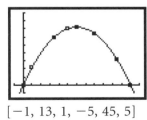

$[-1, 13, 1, -5, 45, 5]$

(continúa)

Los puntos donde la gráfica cruza el eje x se conocen como las **intersecciones x.**
Las intersecciones x de la gráfica anterior son $(0, 0)$ y $(12, 0)$. Esto indica que el
rectángulo no tiene área si el ancho es de 0 metros o 12 metros. (Observación:
Cuando se nombra una intersección x, en ocasiones sólo se da la coordenada x,
en vez del par ordenado. Así, podríamos decir que las intersecciones x de la
gráfica anterior son 0 y 12.)

Si repites este proceso para diferentes perímetros (longitud total de la cerca),
encontrarás que el rectángulo con mayor área es siempre un cuadrado.

Las coordenadas x de las intersecciones x de una gráfica son las soluciones de la
ecuación $f(x) = 0$. Estas soluciones se conocen como las **raíces** de la función
$y = f(x)$. Para la ecuación de la investigación, las raíces son 0 y 12, los valores
del ancho que hacen que el área sea igual a cero.

Lee el resto de la lección en tu libro. En el Ejemplo A se muestra cómo usar tu
calculadora para estimar las raíces de una función cuadrática. En el Ejemplo B se
muestra cómo hallar el vértice y la **recta de simetría** de una parábola basándote
en su ecuación, y después cómo usar esta información para reescribir la ecuación
en **forma de vértice.** Aquí se presenta otro ejemplo.

EJEMPLO | Encuentra la recta de simetría y el vértice de la parábola $y = x^2 + 9x + 14$.
Después reescribe la ecuación en forma de vértice $y = a(x - h)^2 + k$.

▶ **Solución** | Puedes usar una gráfica de calculadora para encontrar
que las raíces son -7 y -2.

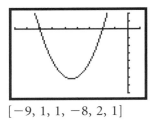

$[-9, 1, 1, -8, 2, 1]$

La recta de simetría es $x = -4.5$, la recta vertical que se ubica
a la mitad de las intersecciones x. El vértice se encuentra sobre
la recta de simetría, de modo que tiene una coordenada x de
-4.5. Para hallar su coordenada y, sustituye x por -4.5 en la
ecuación.

$$y = (-4.5)^2 + 9(-4.5) + 14$$

$$= 20.25 - 40.5 + 14$$

$$= -6.25$$

Así pues, el vértice es $(-4.5, -6.25)$.

La gráfica es una transformación de la función madre, $f(x) = x^2$. Debido a que el
vértice es $(-4.5, -6.25)$, existe una traslación de 4.5 unidades a la izquierda y
-6.25 unidades hacia abajo; así, la ecuación es de la forma $y = a(x + 4.5)^2 - 6.25$.
Si graficas $y = (x + 4.5) - 6.25$ en la misma ventana que la ecuación original,
encontrarás que las gráficas son iguales. Entonces, $y = (x + 4.5)^2 - 6.25$ es la
forma de vértice de $y = x^2 + 9x + 14$.

De la forma de vértice a la forma general

En esta lección

- dibujarás diagramas para **expresiones cuadradas**
- dibujarás diagramas para escribir **trinomios** como los cuadrados de expresiones
- convertirás una ecuación cuadrática de su **forma de vértice** a su **forma general**

En la forma general de una ecuación cuadrática, $y = ax^2 + bx + c$, el lado derecho es la suma de tres términos. Un **término** es una expresión algebraica que representa solamente multiplicación y división entre variables y constantes. Una suma de términos con exponentes enteros positivos se conoce como **polinomio.** Lee sobre los polinomios en la página 544 de tu libro.

En el Ejemplo A practicas la identificación de polinomios. Lee y sigue este ejemplo. Después lee el texto sobre *términos semejantes* que sigue el ejemplo.

Investigación: Cuadrados sorpresivos

En el diagrama del Paso 1 de tu libro se expresa 7^2 como $(3 + 4)^2$. La suma de las áreas de los rectángulos internos es $9 + 2(12) + 16 = 49$. Esto verifica que $7^2 = (3 + 4)^2$.

Ahora, dibuja y rotula un diagrama parecido para cada expresión del Paso 2. Aquí se presentan los resultados para las partes a y b.

a. $(5 + 3)^2 = 25 + 2(15) + 9 = 64$

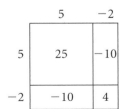

b. $(4 + 2)^2 = 16 + 2(8) + 4 = 36$

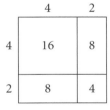

Puedes usar diagramas parecidos para mostrar los cuadrados de diferencias, incluso cuando las longitudes son negativas. En el diagrama anterior al Paso 3 en tu libro, se muestra 7^2 como $(10 - 3)^2$. Dibuja y rotula un diagrama para cada expresión del Paso 3. Aquí están los resultados de las partes a y b.

a. $(5 - 2)^2 = 25 + 2(-10) + 4 = 9$

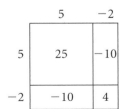

b. $(7 - 3)^2 = 49 + 2(-21) + 9 = 16$

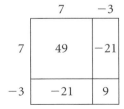

(continúa)

Las expresiones del Paso 4 implican variables. Dibuja y rotula un diagrama para cada expresión. Combina los términos semejantes para expresar cada respuesta como trinomio. Los resultados de las partes a y b se muestran a continuación.

a. $(x + 5)^2 = x^2 + 10x + 25$

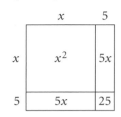

b. $(x - 3)^2 = x^2 - 6x + 9$

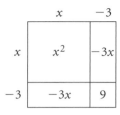

Para ciertos tipos de trinomios, puedes trazar un diagrama rectangular y después reescribir una expresión equivalente en la forma $(x + h)^2$. Inténtalo con las expresiones del Paso 5. Aquí están los resultados para las partes a y b. En cada caso, el diagrama se divide en un cuadrado con un área igual al primer término, un cuadrado con un área igual al último término, y dos rectángulos, cada uno con un área igual a la mitad del término en el medio.

a. $x^2 + 6x + 9 = (x + 3)^2$

	x	3
x	x^2	$3x$
3	$3x$	9

b. $x^2 - 10x + 25 = (x - 5)^2$

	x	-5
x	x^2	$-5x$
-5	$-5x$	25

Puedes usar los resultados del Paso 5 para resolver las ecuaciones del Paso 6. Aquí se muestran los resultados de las partes a y b.

$$x^2 + 6x + 9 = 49$$
$$(x + 3)^2 = 49$$
$$\sqrt{(x + 3)^2} = \sqrt{49}$$
$$x + 3 = \pm 7$$
$$x = -3 \pm 7$$
$$x = 4 \text{ ó } x = -3$$

$$x^2 - 10x + 25 = 81$$
$$(x - 5)^2 = 81$$
$$\sqrt{(x - 5)^2} = \sqrt{81}$$
$$x - 5 = \pm 9$$
$$x = 5 \pm 9$$
$$x = 14 \text{ ó } x = -4$$

Los números como 25 se conocen como **cuadrados perfectos** porque son los cuadrados de números enteros, en este caso 5 y -5. El trinomio $x^2 - 10x + 25$ se conoce también como cuadrado perfecto, porque es el cuadrado de $x - 5$. Si el coeficiente del término x^2 es 1, entonces un trinomio es un cuadrado perfecto si el último término es el cuadrado de la mitad del coeficiente del término x. Usa esta idea para identificar los cuadrados perfectos del Paso 7. Los resultados se presentan en la página siguiente.

a. Debido a que 49 es igual al cuadrado de la mitad de 14, éste es un trinomio cuadrado perfecto: $x^2 + 14x + 49 = (x + 7)^2$.

(continúa)

    b. Debido a que 81 es igual al cuadrado de la mitad de -18, éste es un trinomio cuadrado perfecto: $x^2 - 18x + 81 = (x - 9)^2$.

    c. Éste no es un trinomio cuadrado perfecto porque 25 no es igual al cuadrado de la mitad de 20.

    d. Éste no es un trinomio cuadrado perfecto porque -36 no es igual al cuadrado de la mitad de -12.

Puedes usar tus habilidades para elevar binomios al cuadrado, para convertir ecuaciones de la forma de vértice a la forma general. Esto se ilustra en el Ejemplo B de tu texto. Lee ese ejemplo y el texto que lo sigue.

LECCIÓN CONDENSADA
10.4 | Forma factorizada

En esta lección

- trabajarás con ecuaciones cuadráticas en **forma factorizada**
- conocerás la conexión entre la forma factorizada de una ecuación cuadrática y las raíces de la ecuación
- escribirás la ecuación de una parábola en tres formas diferentes

Has trabajado con ecuaciones cuadráticas dadas en forma de vértice y en forma general. En esta lección aprenderás sobre la **forma factorizada** de una ecuación cuadrática.

Investigación: Llegar a la raíz del asunto

Pasos 1–4   En la misma ventana, grafica $y = x + 3$ y $y = x - 4$.

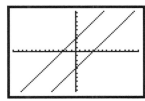

$[-14.1, 14.1, 1, -9.3, 9.3, 1]$

La intersección x de $y = x + 3$ es -3. La intersección x de $y = x - 4$ es 4.

Ahora, en la misma ventana, grafica $y = (x + 3)(x - 4)$. La gráfica es una parábola.

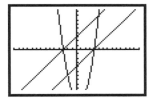

Las intersecciones x de la parábola son -3 y 4, que constituyen las intersecciones x de $y = x + 3$ y $y = x - 4$, respectivamente. Esto tiene sentido, porque el producto $(x + 3)(x - 4)$ es cero cuando $x + 3$ es cero o cuando $x - 4$ es cero.

Puedes utilizar un diagrama rectangular para desarrollar la expresión $(x + 3)(x - 4)$, y después reescribir $y = (x + 3)(x - 4)$ como $y = x^2 - x - 12$. Verifica que las dos ecuaciones son equivalentes graficándolas ambas en los mismos ejes. Debido a que las ecuaciones son idénticas, sabes que las *raíces* de $y = x^2 - x - 12$ son -3 y 4.

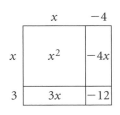

Pasos 5–8   Dada una ecuación cuadrática en forma general, en ocasiones puedes usar un diagrama rectangular para reescribirla en forma factorizada y después encontrar sus raíces.

Considera la ecuación $y = x^2 + 5x + 6$. El diagrama muestra que puedes reescribir el lado izquierdo como $(x + 3)(x + 2)$. Así, en forma factorizada, la ecuación es $y = (x + 3)(x + 2)$. Usa una gráfica o tabla de calculadora para verificar que $y = x^2 + 5x + 6$ y $y = (x + 3)(x - 2)$ son equivalentes.

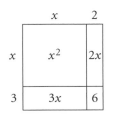

De la forma factorizada, puedes ver que las raíces de $y = x^2 + 5x + 6$ son -3 y -2.

(continúa)

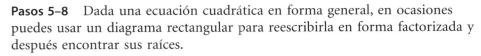

Lección 10.4 • Forma factorizada (continuación)

Ahora, usa diagramas rectangulares para reescribir cada ecuación del Paso 8 en forma factorizada y encontrar sus raíces. Aquí se ven los resultados.

a. $y = (x - 5)(x - 2)$; raíces: 5 y 2

b. $y = (x + 8)(x - 2)$; raíces: -8 y 2

c. $y = (x - 6)(x + 8)$; raíces: 6 y -8

d. $y = (x - 7)(x - 4)$; raíces: 7 y 4

Ahora lee el texto que sigue la investigación en la página 552 de tu libro, donde se resumen las tres formas de una ecuación cuadrática. Después lee el ejemplo, el cual explica cómo escribir una ecuación de una parábola en las tres formas, y lee el texto que sigue el ejemplo. Aquí tienes un ejemplo adicional.

EJEMPLO

Escribe la ecuación de esta parábola en forma de vértice, forma general, y forma factorizada.

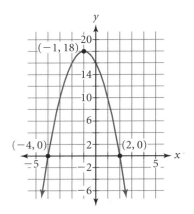

► Solución

De la gráfica, puedes ver que las intersecciones x son -4 y 2. Entonces, la forma factorizada contiene los factores binomiales $(x + 4)$ y $(x - 2)$. También puedes ver que, debido a que la parábola está "boca abajo", el coeficiente de x^2 debe ser negativo.

Si graficas $y = -(x + 4)(x - 2)$ en tu calculadora, verás que tiene las mismas intersecciones x que la gráfica anterior, pero tiene un vértice diferente.

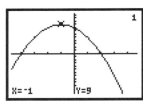

$[-4.7, 4.7, 1, -12.4, 12.4, 1]$

El vértice de $y = -(x + 4)(x - 2)$ es $(-1, 9)$, mientras que el vértice de la parábola original es $(-1, 18)$. De modo que la parábola original es un estiramiento vertical de la gráfica de $y = -(x + 4)(x - 2)$ por un factor de $\frac{18}{9}$, ó 2. Esto significa que la forma factorizada es $y = -2(x + 4)(x - 2)$. Grafica esta ecuación en tu calculadora para verificar que su gráfica se parece a la gráfica original.

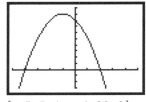

$[-5, 5, 1, -6, 20, 2]$

Sabes que el valor de a es -2 y que el vértice es $(-1, 18)$, de modo que puedes escribir la forma de vértice de la ecuación, $y = -2(x + 1)^2 + 18$. Para obtener la forma general, desarrolla la forma factorizada o la forma de vértice.

$y = -2(x + 1)^2 + 18$ Forma de vértice.

$y = -2(x^2 + 2x + 1) + 18$ Usa un diagrama rectangular para desarrollar $(x + 1)^2$.

$y = -2x^2 - 4x - 2 + 18$ Usa la propiedad distributiva.

$y = -2x^2 - 4x + 16$ Combina términos semejantes.

Completar el cuadrado

En esta lección

- resolverás ecuaciones cuadráticas al **completar el cuadrado**
- reescribirás ecuaciones cuadráticas en forma de vértice completando el cuadrado
- trabajarás con una ecuación cuadrática que no tiene **soluciones en números reales**

Puedes encontrar soluciones aproximadas de las ecuaciones cuadráticas usando gráficas y tablas de calculadora. Si eres capaz de escribir la ecuación en forma factorizada o en forma de vértice, puedes utilizar métodos simbólicos para hallar las soluciones exactas. En esta lección aprenderás un método simbólico llamado **completar el cuadrado,** que puedes usar para hallar soluciones exactas de cualquier ecuación cuadrática en forma general, $y = ax^2 + bx + c$.

Investigación: En busca de soluciones

Completa cada diagrama rectangular del Paso 1 de modo que sea un cuadrado. Aquí se muestran los resultados de las partes a, b, y d.

a.

	x	2
x	x^2	$2x$
2	$2x$	4

b.

	x	-3
x	x^2	$-3x$
-3	$-3x$	9

d.

	x	$\frac{b}{2}$
x	x^2	$\frac{b}{2}x$
$\frac{b}{2}$	$\frac{b}{2}x$	$\frac{b^2}{4}$

Usando los diagramas, puedes escribir ecuaciones de la forma $x^2 + bx + c = (x + h)^2$. Aquí se ven las ecuaciones de las partes a, b, y d. Escribe una ecuación parecida para la parte c.

a. $x^2 + 4x + 4 = (x + 2)^2$ **b.** $x^2 - 6x + 9 = (x - 3)^2$ **d.** $x^2 + bx + \frac{b^2}{4} = \left(x + \frac{b}{2}\right)^2$

Observa que las operaciones del lado derecho de cada ecuación pueden "deshacerse" para obtener x. Por ejemplo, puedes deshacer $(x + 2)^2$ si obtienes la raíz cuadrada, $x + 2$, y después restas 2. No puedes deshacer las operaciones del lado izquierdo de la ecuación para obtener x, entonces la forma $(x + h)^2$ se utiliza para resolver problemas.

Si supones que el área de cada cuadrado del Paso 1 es 100, puedes escribir ecuaciones que pueden resolverse deshaciendo el orden de las operaciones. Aquí tienes las ecuaciones de las partes a y b. Escribe una ecuación parecida para la parte c.

a. $(x + 2)^2 = 100$ **b.** $(x - 3)^2 = 100$

En la página siguiente se presentan las soluciones simbólicas de las ecuaciones anteriores. Escribe una solución parecida de la ecuación de la parte c.

(continúa)

a.

$$(x + 2)^2 = 100$$
$$\sqrt{(x + 2)^2} = \sqrt{100}$$
$$x + 2 = \pm 10$$
$$x = -2 \pm 10$$
$$x = -12 \text{ ó } x = 8$$

b.

$$(x - 3)^2 = 100$$
$$\sqrt{(x - 3)^2} = \sqrt{100}$$
$$x - 3 = \pm 10$$
$$x = 3 \pm 10$$
$$x = 13 \text{ ó } x = -7$$

También puedes resolver una ecuación completando el cuadrado. En el ejemplo siguiente se ilustra este método.

$x^2 + 6x - 1 = 0$	Ecuación original.
$x^2 + 6x = 1$	Suma 1 a ambos lados.
$x^2 + 6x + 9 = 1 + 9$	Suma 9 a ambos lados, convirtiendo el lado izquierdo en un trinomio cuadrado perfecto.
$(x + 3)^2 = 10$	Reescribe el trinomio como un binomio al cuadrado.
$x + 3 = \pm\sqrt{10}$	Saca la raíz cuadrada de ambos lados.
$x = -3 \pm \sqrt{10}$	Suma -3 a ambos lados.

Las soluciones son $-3 + \sqrt{10}$, ó aproximadamente 0.162, y $-3 - \sqrt{10}$, ó aproximadamente -6.162. Puedes verificar estas soluciones al graficar $y = x^2 + 6x - 1$ y encontrar las intersecciones x o al construir una tabla y hallar los valores x que correspondan al valor 0 de y. Aquí están los pasos para resolver $x^2 + 8x - 5 = 0$.

$x^2 + 8x - 5 = 0$	Ecuación original.
$x^2 + 8x = 5$	Suma 5 a ambos lados.
$x^2 + 8x + 16 = 5 + 16$	Suma 16 a ambos lados, convirtiendo el lado izquierdo en un trinomio cuadrado perfecto.
$(x + 4)^2 = 21$	Reescribe el trinomio como un binomio al cuadrado.
$x + 4 = \pm\sqrt{21}$	Saca la raíz cuadrada de ambos lados.
$x = -4 \pm \sqrt{21}$	Suma -4 a ambos lados.

Las soluciones son $-4 + \sqrt{21}$ y $-4 - \sqrt{21}$.

La clave para resolver una ecuación cuadrática completando el cuadrado es expresar uno de los lados como trinomio cuadrado perfecto. En la investigación las ecuaciones estaban en la forma $y = 1x^2 + bx + c$. En el Ejemplo A de tu libro se muestra cómo resolver una ecuación cuadrática cuando el coeficiente de x^2 no es 1. Lee ese ejemplo atentamente. Después lee el Ejemplo B, que muestra cómo completar el cuadrado para convertir una ecuación a su forma de vértice.

En la solución de $2(x + 2)^2 + 3 = 0$ del Ejemplo B, el paso final es $x = -2 \pm \sqrt{-\frac{3}{2}}$. Debido a que un número negativo no tiene raíz cuadrada en los números reales, la ecuación no tiene solución en los números reales. La gráfica de la ecuación $y = 2(x + 2)^2 + 3$ en la página 563 puede ayudarte a entender porqué no hay soluciones. La gráfica no cruza el eje x, de modo que no hay valor real de x para el cual $2(x + 2)^2 + 3 = 0$ sea cierto.

La fórmula cuadrática

En esta lección

- verás cómo se obtiene la **fórmula cuadrática**
- usarás la fórmula cuadrática para resolver ecuaciones

Si una ecuación cuadrática está dada en forma de vértice, o si no tiene término en x, puedes resolverla deshaciendo las operaciones o manteniendo el equilibrio de la ecuación. Si la ecuación se presenta en forma factorizada, puedes resolverla encontrando los valores x que hacen que los factores sean iguales a cero. Si la ecuación es un trinomio cuadrado perfecto, puedes factorizarla y después encontrar las soluciones. Observa las seis ecuaciones dadas al inicio de la lección y piensa cómo resolverías cada una de ellas.

En la lección anterior, aprendiste cómo resolver ecuaciones cuadráticas completando el cuadrado. Desafortunadamente, en ocasiones este método resulta muy complicado. Por ejemplo, intenta resolver $-4.9x^2 + 5x - \frac{16}{3} = 0$ completando el cuadrado.

Considera la ecuación cuadrática general $ax^2 + bx + c = 0$. En esta lección verás cómo completar el cuadrado en este caso general te lleva a una fórmula que se puede utilizar para resolver cualquier ecuación cuadrática.

Investigación: Derivar la fórmula cuadrática

Considera la ecuación $2x^2 + 3x - 1 = 0$. Esta ecuación se expresa en la forma general, $ax^2 + bx + c = 0$, donde $a = 2$, $b = 3$, y $c = -1$.

En esta investigación, mostraremos los pasos para resolver la ecuación general, $ax^2 + bx + c = 0$, en la parte izquierda, y los pasos para resolver la ecuación particular, $2x^2 + 3x - 1 = 0$, en la parte derecha.

Primero, agrupa todos los términos variables en la parte izquierda de la ecuación.

$$ax^2 + bx = -c \qquad\qquad\qquad | \qquad 2x^2 + 3x = 1$$

Para completar el cuadrado, el coeficiente de x^2 debe ser 1. Por eso, divide ambos lados de la ecuación entre el valor de a.

$$x^2 + \frac{b}{a}x = -\frac{c}{a} \qquad\qquad\qquad | \qquad x^2 + \frac{3}{2}x = \frac{1}{2}$$

Completa el cuadrado en el lado izquierdo de la ecuación, sumando el cuadrado de la mitad del coeficiente de x. Suma este mismo valor al lado derecho.

$$x^2 + \frac{b}{a}x + \left(\frac{b}{2a}\right)^2 = \left(\frac{b}{2a}\right)^2 - \frac{c}{a} \qquad | \qquad x^2 + \frac{3}{2}x + \left(\frac{3}{4}\right)^2 = \left(\frac{3}{4}\right)^2 + \frac{1}{2}$$

Reescribe el trinomio del lado izquierdo de la ecuación como un binomio al cuadrado. En el lado derecho, reescribe las fracciones con un denominador común.

$$\left(x + \frac{b}{2a}\right)^2 = \frac{b^2}{4a^2} - \frac{4ac}{4a^2} \qquad\qquad | \qquad \left(x + \frac{3}{4}\right)^2 = \frac{9}{16} + \frac{8}{16}$$

(continúa)

Saca la raíz cuadrada de ambos lados.

$$x + \frac{b}{2a} = \pm\frac{\sqrt{b^2 - 4ac}}{\sqrt{4a^2}}$$

$$x + \frac{3}{4} = \pm\frac{\sqrt{9 + 8}}{\sqrt{16}}$$

Aísla x en el lado izquierdo.

$$x = -\frac{b}{2a} \pm \frac{\sqrt{b^2 - 4ac}}{2a}$$

$$x = -\frac{3}{4} \pm \frac{\sqrt{17}}{4}$$

Expresa las soluciones como fracciones.

$$x = \frac{-b + \sqrt{b^2 - 4ac}}{2a}$$

$$x = \frac{-3 + \sqrt{17}}{4}$$

$$ó \; x = \frac{-b - \sqrt{b^2 - 4ac}}{2a}$$

$$ó \; x = \frac{-3 - \sqrt{17}}{4}$$

En forma decimal, las soluciones de $2x^2 + 3x - 1 = 0$ son aproximadamente 0.281 y -1.781.

Observa las soluciones de la forma general. Observa que, para que las soluciones sean números reales, el valor de a no puede ser cero (porque la división entre cero no está definida) y que el valor de $b^2 - 4ac$ debe ser mayor que o igual a cero (porque los números negativos no tienen raíces cuadradas reales).

La fórmula cuadrática, $x = \frac{-b \pm \sqrt{b^2 - 4ac}}{2a}$, da las soluciones de una ecuación cuadrática escrita en su forma general, $ax^2 + bx + c = 0$. Para usar la fórmula, solamente necesitas conocer los valores de a, b, y c. En el ejemplo en tu libro se ilustra cómo usar la fórmula. Aquí se presenta otro ejemplo.

EJEMPLO | Usa la fórmula cuadrática para resolver $2x^2 - 9 = x$.

▶ **Solución** | Primero, escribe la ecuación en forma estándar, restando x de ambos lados. El resultado es $2x^2 - x - 9 = 0$. Para esta ecuación, $a = 2$, $b = -1$, y $c = -9$. Ahora, sustituye estos valores en la fórmula cuadrática.

$$x = \frac{-b \pm \sqrt{b^2 - 4ac}}{2a}$$

$$x = \frac{-(-1) \pm \sqrt{(-1)^2 - 4(2)(-9)}}{2(2)}$$

$$x = \frac{1 \pm \sqrt{1 - (-72)}}{4}$$

$$x = \frac{1 \pm \sqrt{73}}{4}$$

Así pues, las soluciones son $\frac{1 + \sqrt{73}}{4}$ ó aproximadamente 2.386, y $\frac{1 - \sqrt{73}}{4}$, ó aproximadamente -1.886.

Lee el resto de la lección en tu libro.

Funciones cúbicas

En esta lección

- determinarás si los números dados son **cubos perfectos**
- descubrirás la relación entre la forma factorizada de una **ecuación cúbica** y su gráfica
- escribirás ecuaciones para **funciones cúbicas** basándote en sus gráficas

Lee el texto al final de la página 572 de tu libro, donde se explica que la función cúbica, $f(x) = x^3$, modela el volumen de un cubo con arista de longitud x. Las funciones de la familia cuya función madre es $f(x) = x^3$ se conocen como *funciones cúbicas*.

El volumen de un cubo con arista de longitud 5 es 5^3, ó 125. El número 125 es un **cubo perfecto** porque es igual a un entero elevado al cubo (es decir, elevado a la tercera potencia). El número 5 se conoce como la **raíz cúbica** de 125. Puedes expresar esto escribiendo $5 = \sqrt[3]{125}$.

EJEMPLO A | Determina cuáles números son cubos perfectos.

a. 24,389   **b.** 1,428   **c.** 270   **d.** 4,913

▶ **Solución** | Encuentra la raíz cúbica de cada número. (Consulta **Calculator Note 10B.**)

a. $\sqrt[3]{24,389} = 29$ **b.** $\sqrt[3]{1,428} \approx 11.261$

c. $\sqrt[3]{270} \approx 6.463$ **d.** $\sqrt[3]{4,913} \approx 17$

Entonces, 24,389 y 4,913 son cubos perfectos porque su raíz cúbica es un entero.

La gráfica de la función madre $y = x^3$ se muestra en la página 572 de tu libro. Puedes usar lo que sabes sobre transformaciones para escribir las ecuaciones de otras funciones cúbicas.

EJEMPLO B | Escribe una ecuación para cada gráfica.

a. 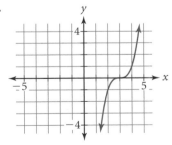   **b.**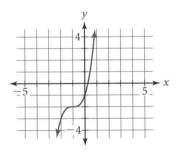

▶ **Solución** | **a.** La gráfica es una traslación de la gráfica de $y = x^3$ 3 unidades a la derecha. Así que la ecuación es $y = (x - 3)^3$.

b. La gráfica es una traslación de la gráfica de $y = x^3$ 1 unidad a la izquierda y 2 unidades hacia abajo. Así que la ecuación es $y = (x + 1)^3 - 2$.

(continúa)

Investigación: Búsqueda de factores

En esta investigación descubrirás la relación entre la forma factorizada de una ecuación cúbica y su gráfica.

Pasos 1–3   Enumera las intersecciones x de cada gráfica del Paso 1. Aquí se muestran los resultados.

Gráfica A: $-2, 1, 2$	Gráfica B: $-2, 1, 2$	Gráfica C: $-1, 0, 2$
Gráfica D: $-1, 0, 2$	Gráfica E: $-2, 1, 3$	Gráfica F: $-3, -1, 2$

Usa las tablas y las gráficas para ayudarte a relacionar las ecuaciones del Paso 2 con las correspondientes gráficas del Paso 1. Aquí están los resultados.

a. Gráfica F   **b.** Gráfica C   **c.** Gráfica A

d. Gráfica D   **e.** Gráfica B   **f.** Gráfica E

Las intersecciones x son las raíces de la ecuación. Por eso, si la gráfica de una ecuación cúbica tiene como intersección x el valor de a, la forma factorizada de la ecuación incluye el factor $(x - a)$. Por ejemplo, la Gráfica A tiene intersecciones x en -2, 1, y 2, y su ecuación incluye los factores $(x + 2)$, $(x - 1)$, y $(x - 2)$.

Paso 4   Ahora encontrarás una ecuación para la gráfica en el Paso 4. Tiene intersecciones x en -3, -2, y 2. La ecuación $y = (x + 3)(x + 2)(x - 2)$ tiene las mismas intersecciones x. Aquí se presenta su gráfica.

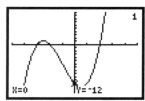

$[-5, 5, 1, -15, 10, 1]$

Ahora, ajusta la ecuación hasta que la gráfica se parece a la del Paso 4. El punto $(0, -12)$ corresponde al punto $(0, 6)$ en la gráfica original. Entonces, necesitas reflejar la gráfica a través del eje x y aplicar un estiramiento vertical por un factor de 0.5. La ecuación entonces se convierte en $y = -0.5(x + 3)(x + 2)(x - 2)$. Si graficas esta ecuación en tu calculadora, verás que el resultado corresponde a la gráfica del Paso 4.

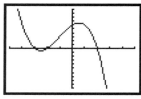

$[-5, 5, 1, -15, 10, 1]$

Lee el Ejemplo C en tu libro, donde se muestra cómo hallar una ecuación para otra gráfica cúbica.

Dada una ecuación cúbica en forma general, puedes graficarla y después usar las intersecciones x para ayudarte a escribir la ecuación en forma factorizada. El texto que sigue el Ejemplo C muestra cómo reescribir $y = x^3 - 3x + 2$ en forma factorizada. La gráfica de esta ecuación toca el eje x en $x = 1$, pero realmente no pasa por el eje en este punto. Esto indica que hay una *raíz doble,* lo que significa que el factor $x - 1$ aparece dos veces en la ecuación. La forma factorizada de la ecuación es $y = (x + 2)(x - 1)^2$.

Discovering Algebra Condensed Lessons in Spanish
©2004 Key Curriculum Press

11.1 Paralelo y perpendicular

En esta lección

- aprenderás el significado de **paralelo** y **perpendicular**
- descubrirás cómo se relacionan las **pendientes de las rectas paralelas y de las rectas perpendiculares**
- usarás pendientes para ayudarte a **clasificar figuras** en el plano de coordenadas

Las rectas paralelas son rectas que están en el mismo plano y que nunca se intersecan. Se presenta un ejemplo a la derecha.

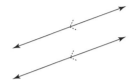

Las rectas perpendiculares son rectas que están en el mismo plano y que se intersecan en un ángulo recto.

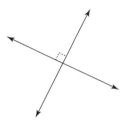

Insertamos una pequeña caja en uno de los ángulos, para mostrar que las rectas son perpendiculares.

Investigación: Pendientes

Los lados opuestos de un rectángulo son paralelos, y los lados adyacentes son perpendiculares. Al examinar los rectángulos dibujados en una cuadrícula de coordenadas, puedes descubrir cómo se relacionan las pendientes de las rectas paralelas y de las rectas perpendiculares.

En el Paso 1 se dan los vértices de cuatro rectángulos. Aquí se muestra el rectángulo con los vértices que se dan en la parte a.

Encuentra la pendiente de cada lado del rectángulo. Debes obtener estos resultados. (Observación: La notación $\overline{AB}$ significa "segmento AB".)

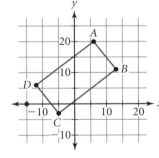

Pendiente de $\overline{AD}$: $\dfrac{7}{9}$ Pendiente de $\overline{AB}$: $-\dfrac{9}{7}$

Pendiente de $\overline{BC}$: $\dfrac{7}{9}$ Pendiente de DC: $-\dfrac{9}{7}$

Observa que las pendientes de los lados paralelos $\overline{AD}$ y $\overline{BC}$ son iguales y que las pendientes de los lados paralelos $\overline{AB}$ y $\overline{DC}$ son iguales. Recuerda que, para hallar el **recíproco** de una fracción, intercambias el numerador y el denominador. Por ejemplo, el recíproco de $\frac{3}{4}$ es $\frac{4}{3}$. El producto de un número y su recíproco es 1. Observa las pendientes de los lados perpendiculares $\overline{AD}$ y $\overline{DC}$. La pendiente de $\overline{DC}$ es el *recíproco negativo* de la pendiente de $\overline{AD}$. El producto de las pendientes, $\frac{7}{9}$ y $-\frac{9}{7}$, es -1. Encontrarás esta misma relación para cualquier par de lados perpendiculares del rectángulo.

(continúa)

Ahora, escoge otro conjunto de vértices del Paso 1, y encuentra las pendientes de los lados del rectángulo. Debes encontrar las mismas relaciones entre las pendientes de los lados. De hecho, cualesquiera dos rectas paralelas tienen la misma pendiente, y cualesquiera dos rectas perpendiculares tienen pendientes que son recíprocos negativos entre sí.

Un **triángulo rectángulo** tiene un ángulo recto. Los lados que forman el ángulo recto se llaman **catetos** y el lado opuesto al ángulo recto se llama **hipotenusa.** Si se traza un triángulo en una cuadrícula de coordenadas, puedes usar lo que sabes sobre pendientes de rectas perpendiculares para determinar si se trata de un triángulo rectángulo. Esto se muestra en el Ejemplo A de tu libro. Aquí se presenta otro ejemplo.

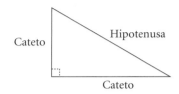

EJEMPLO

Decide si este triángulo es rectángulo.

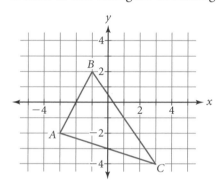

▶ **Solución**

El triángulo tiene vértices $A(-3, -2)$, $B(-1, 2)$, y $C(3, -4)$. Claramente, los ángulos B y C no son rectos, pero el ángulo A podría serlo. Para verificarlo, encuentra las pendientes de $\overline{AB}$ y $\overline{AC}$:

Pendiente $\overline{AB}$: $\dfrac{2 - (-2)}{-1 - (-3)} = \dfrac{4}{2} = 2$ Pendiente $\overline{AC}$: $\dfrac{-4 - (-2)}{3 - (-3)} = \dfrac{-2}{6} = -\dfrac{1}{3}$

Las pendientes, 2 y $-\frac{1}{3}$, no son recíprocos negativos; entonces los lados no son perpendiculares. Debido a que ninguno de los ángulos son rectos, el triángulo no es rectángulo.

Un **trapecio** es un cuadrilátero que tiene un par de lados opuestos paralelos y un par de lados opuestos no paralelos. Un trapecio que posee un ángulo recto se conoce como **trapecio recto.** Cada trapecio recto debe tener dos ángulos rectos porque los lados opuestos son paralelos. Aquí se muestran algunos ejemplos de trapecios.

 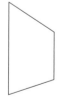 

Para determinar si un cuadrilátero trazado en un sistema de coordenadas es un trapecio sin ser un paralelogramo, necesitas verificar que dos de los lados opuestos tengan la misma pendiente y que los otros dos lados opuestos tengan pendientes distintas. Para decidir si el trapecio es un trapecio recto, también necesitas verificar que las pendientes de dos lados adyacentes son recíprocos negativos. Esto se ilustra en el Ejemplo B de tu libro.

Encontrar el punto medio

En esta lección

- descubrirás la **fórmula del punto medio**
- usarás la fórmula del punto medio para hallar el punto medio de un segmento
- escribirás ecuaciones para la **mediana** de un triángulo y para la **mediatriz** de un segmento

El **punto medio** de un segmento de recta es el punto que está a mitad del camino entre los dos extremos. El texto en la página 588 de tu libro explica que es necesario hallar los puntos medios para trazar la **mediana** de un triángulo y la **mediatriz** (*perpendicular bisector*) de un segmento de recta. Lee ese texto atentamente.

Investigación: En el medio

Este triángulo tiene los vértices $A(1, 2)$, $B(5, 2)$, y $C(5, 7)$.

El punto medio de $\overline{AB}$ es $(3, 2)$. Observa que la coordenada x de este punto es el promedio de las coordenadas x de los puntos extremos.

El punto medio de $\overline{BC}$ es $(5, 4.5)$. Observa que la coordenada y de este punto es el promedio de las coordenadas y de los puntos extremos.

El punto medio de $\overline{AC}$ es $(3, 4.5)$. Observa que la coordenada x de este punto es el promedio de las coordenadas x de los puntos extremos, y que la coordenada y de este punto es el promedio de las coordenadas y de los puntos extremos.

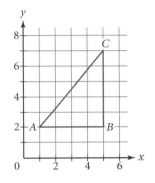

El segmento DE tiene puntos extremos $D(2, 5)$ y $E(7, 11)$. El punto medio de $\overline{DE}$ es $(4.5, 8)$. La coordenada x de este punto es el promedio de las coordenadas x de los puntos extremos, y la coordenada y de este punto es el promedio de las coordenadas y de los puntos extremos.

Para encontrar el punto medio del segmento comprendido entre cada par de puntos, usa la idea de sacar los promedios de las coordenadas de los puntos extremos. Para el Paso 8, debes obtener los siguientes resultados.

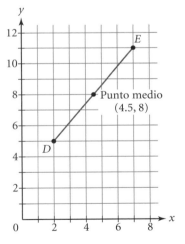

a. punto medio de $\overline{FG}$: $(-2.5, 28)$

b. punto medio de $\overline{HJ}$: $(-1, -2)$

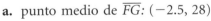

La técnica usada en la investigación para hallar el punto medio de un segmento se conoce como la **fórmula del punto medio.** Si los puntos extremos de un segmento tienen coordenadas (x_1, y_1) y (x_2, y_2), el punto medio del segmento tiene las coordenadas

$$\left(\frac{x_1 + x_2}{2}, \frac{y_1 + y_2}{2}\right)$$

(continúa)

Lección 11.2 • Encontrar el punto medio (continuación)

El ejemplo de tu libro muestra cómo hallar las ecuaciones de una mediana de un triángulo y de la mediatriz de uno de sus lados. A continuación hay otro ejemplo.

EJEMPLO

Este triángulo tiene los vértices $A(-2, 2)$, $B(2, 4)$, y $C(1, -3)$.

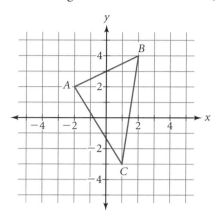

a. Escribe la ecuación de la mediana que parte del vértice A.

b. Escribe la ecuación de la mediatriz de $\overline{BC}$.

▶ **Solución**

a. La mediana que parte del vértice A va al punto medio de $\overline{BC}$. Por tanto, debes encontrar el punto medio de $\overline{BC}$.

punto medio de $\overline{BC}$: $\left(\dfrac{2+1}{2}, \dfrac{4+(-3)}{2} \right) = (1.5, 0.5)$

Ahora, usa las coordenadas del vértice A y el punto medio para hallar la pendiente de la mediana.

pendiente de la mediana: $\dfrac{0.5 - 2}{1.5 - (-2)} = \dfrac{-1.5}{3.5} = -\dfrac{3}{7}$

Usa las coordenadas del punto medio y la pendiente para hallar la ecuación.

$y = 0.5 - \dfrac{3}{7}(x - 1.5)$

b. La mediatriz de $\overline{BC}$ pasa por el punto medio de $\overline{BC}$, que es $(1.5, 0.5)$ y es perpendicular a $\overline{BC}$. La pendiente de $\overline{BC}$ es $\dfrac{-3-4}{1-2}$, ó 7, de modo que la pendiente de la mediatriz es el recíproco negativo de 7, ó $-\dfrac{1}{7}$. Escribe la ecuación usando esta pendiente y las coordenadas del punto medio.

$y = 0.5 - \dfrac{1}{7}(x - 1.5)$

Discovering Algebra Condensed Lessons in Spanish
©2004 Key Curriculum Press

Cuadrados, triángulos rectángulos, y áreas

En esta lección

- encontrarás el **área de polígonos** trazados en una cuadrícula
- encontrarás el **área** y la **longitud lateral de cuadrados** trazados en una cuadrícula
- dibujarás un segmento de una longitud dada, trazando un cuadrado con el cuadrado de la longitud como área

El Ejemplo A de tu libro muestra cómo hallar los largos de un rectángulo y de un triángulo rectángulo. El Ejemplo B muestra cómo hallar el área de un cuadrado inclinado, al dibujar un cuadrado con lados horizontales y verticales alrededor del cuadrado inclinado. Lee ambos ejemplos con atención.

Investigación: ¿Cuál es mi área?

Paso 1   Encuentra el área de cada figura del Paso 1. Debes obtener estos resultados.

a. 1 unidad cuadrada	**b.** 5 unidades cuadradas	**c.** 6 unidades cuadradas
d. 2 unidades cuadradas	**e.** 8 unidades cuadradas	**f.** 3 unidades cuadradas
g. 6 unidades cuadradas	**h.** 6 unidades cuadradas	**i.** 10.5 unidades cuadradas
j. 8 unidades cuadradas		

Existen muchas maneras de encontrar el área de estas figuras. Una técnica útil implica el trazado de un rectángulo alrededor de una figura. La ilustración siguiente muestra un rectángulo alrededor de la figura i. Para hallar el área de la figura, resta la suma de las áreas de los triángulos del área del rectángulo.

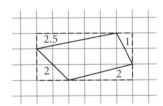

$$\text{Área de la figura i} = 3 \cdot 6 - (2.5 + 1 + 2 + 2)$$
$$= 18 - 7.5 = 10.5$$

Pasos 2–4   Si conoces el área de un cuadrado, puedes hallar la longitud de sus lados al sacar la raíz cuadrada. Por ejemplo, el cuadrado con rótulo d del Paso 1 tiene un área de 2 unidades cuadradas, de modo que la longitud de cada lado es $\sqrt{2}$ unidades. El cuadrado con rótulo e del Paso 1 tiene un área de 8 unidades cuadradas, así que la longitud de cada lado es $\sqrt{8}$ unidades.

Observa los cuadrados del Paso 3. El primer cuadrado tiene un área de 9 y una longitud lateral de 3.

Para encontrar el área del segundo cuadrado, rodéalo con un cuadrado cuyos lados horizontales y verticales son tales como se muestra en la ilustración. El área es 10 unidades cuadradas, de modo que la longitud es $\sqrt{10}$ unidades.

$$\text{Área} = 16 - 4(1.5)$$
$$= 16 - 6$$
$$= 10 \text{ unidades cuadradas}$$

(continúa)

En el Paso 4 se muestran los cuadrados más pequeño y más grande que se pueden dibujar en una cuadrícula de 5 por 5. Dibuja al menos otros cinco cuadrados, y encuentra el área y la longitud lateral de cada uno. Aquí se ven tres ejemplos.

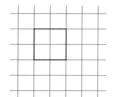

Área = 4 unidades cuadradas
Longitud lateral = 2 unidades

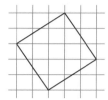

Área = 13 unidades cuadradas
Longitud lateral = $\sqrt{13}$ unidades

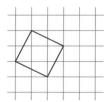

Área = 5 unidades cuadradas
Longitud lateral = $\sqrt{5}$ unidades

Debido a que $\sqrt{10}$ es igual a un decimal cuyos dígitos se continúan indefinidamente, podría sorprenderte que puedes dibujar un segmento con una longitud de exactamente $\sqrt{10}$ unidades. Sólo necesitas dibujar un cuadrado con un área de 10 unidades cuadradas; cada lado tendrá una longitud de $\sqrt{10}$ unidades. El ejemplo siguiente te muestra cómo dibujar un segmento con una longitud de $\sqrt{17}$ unidades.

EJEMPLO | Traza un segmento de recta que tenga una longitud de exactamente $\sqrt{17}$ unidades.

▶ **Solución** | Para trazar un segmento con una longitud de $\sqrt{17}$ unidades, primero traza un cuadrado con un área de 17 unidades cuadradas. Debido a que 17 no es un cuadrado perfecto, el cuadrado estará inclinado. Empieza con un cuadrado más grande, como uno de 5 por 5. Un cuadrado con estas dimensiones tiene un área de 25 unidades cuadradas. Intenta dibujar un cuadrado inclinado dentro del cuadrado de 5 por 5, de modo que la suma de las áreas de los cuatro triángulos circundantes sea 25 − 17, ó 8.

Aquí se ven dos formas de dibujar un cuadrado inclinado con sus vértices en un cuadrado de 5 por 5.

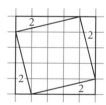

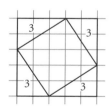

Área del cuadrado inclinado =
25 − 4(2) = 17 unidades cuadradas

Área del cuadrado inclinado =
25 − 4(3) = 13 unidades cuadradas

El cuadrado a la izquierda tiene un área de 17 unidades cuadradas; entonces, cada uno de sus lados es un segmento con una longitud de $\sqrt{17}$ unidades.

El teorema de Pitágoras

En esta lección

- descubrirás el **teorema de Pitágoras**
- usarás el teorema de Pitágoras para hallar la longitud desconocida de un lado de un triángulo rectángulo

En tu libro, lee el texto que precede la investigación, en el cual se explica que la fórmula del área de un triángulo es

$$Área = \frac{base \cdot altura}{2} \text{ ó } A = \frac{1}{2}bh$$

Investigación: Los lados de un triángulo rectángulo

En el diagrama de la página 599 de tu libro se muestra un triángulo rectángulo que tiene cuadrados dibujados en los lados. Encuentra el área de cada cuadrado y registra los resultados en una tabla como la que se muestra en el Paso 4. Después copia cada triángulo rectángulo dibujado en el espacio siguiente, traza un cuadrado en cada lado y registra las áreas en tu tabla. Repite estos pasos para dos triángulos rectángulos que hayas inventado.

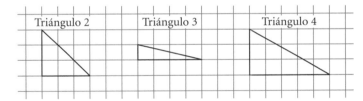

Aquí se muestran los resultados para el triángulo de tu libro y los tres triángulos dibujados anteriormente.

	Área del cuadrado del cateto 1	Área del cuadrado del cateto 2	Área del cuadrado de la hipotenusa
Triángulo 1	4	16	20
Triángulo 2	9	9	18
Triángulo 3	1	16	17
Triángulo 4	9	25	34

Para cada triángulo rectángulo, debes encontrar que el área del cuadrado de la hipotenusa es igual a la suma de las áreas de los cuadrados de los catetos.

Ahora calcula las longitudes de los catetos y de la hipotenusa de cada triángulo.

	Longitud del cateto 1	Longitud del cateto 2	Longitud de la hipotenusa
Triángulo 1	2	4	$\sqrt{20}$
Triángulo 2	3	3	$\sqrt{18}$
Triángulo 3	1	4	$\sqrt{17}$
Triángulo 4	3	5	$\sqrt{34}$

(continúa)

Por cada triángulo rectángulo, encontrarás que esta regla relaciona las longitudes de los catetos con la longitud de la hipotenusa.

$(longitud\ del\ cateto\ 1)^2 + (longitud\ del\ cateto\ 2)^2 = (longitud\ de\ la\ hipotenusa)^2$

La relación que descubriste en la investigación se conoce como el **teorema de Pitágoras.** Un *teorema* es una fórmula matemática o proposición que ha sido probada como cierta. Lee la proposición del teorema en la página 600 de tu libro.

El teorema de Pitágoras es útil para hallar la longitud de un lado de un triángulo rectángulo cuando conoces las longitudes de los otros dos lados. El ejemplo de tu libro muestra cómo usar el teorema para encontrar la distancia de la base de *home* a la segunda base en un diamante de béisbol. Lee ese ejemplo y luego lee el ejemplo que se presenta a continuación.

EJEMPLO | El tamaño de un aparato de televisión o de un monitor de computadora se describe dando la longitud de la diagonal de su pantalla. La pantalla de la televisión de Jackson, que es de 27 pulgadas, tiene una altura de aproximadamente 16.25 pulgadas. ¿Qué ancho tiene la pantalla?

▶ **Solución** | Aquí se ve un dibujo de la televisión de Jackson. En la ilustración se muestra un triángulo rectángulo, en el cual la altura y el ancho de la pantalla son los catetos y la diagonal es la hipotenusa.

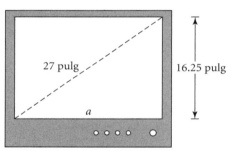

Puedes usar el teorema de Pitágoras para encontrar el ancho de la televisión.

$a^2 + b^2 = c^2$ — Teorema de Pitágoras.

$a^2 + 16.25^2 = 27^2$ — Un cateto tiene una longitud de 16.25 y la hipotenusa tiene una longitud de 27.

$a^2 + 264.0625 = 729$ — Calcula los cuadrados.

$a^2 = 464.9375$ — Resta 264.0625 de ambos lados.

$a = \sqrt{464.9375}$ — Saca la raíz cuadrada en ambos lados.

$a \approx 21.56$ — Evalúa.

La pantalla de la televisión tiene un ancho de aproximadamente 21.56 pulgadas.

LECCIÓN CONDENSADA 11.5

Operaciones con raíces

En esta lección

- aprenderás las **reglas para reescribir las expresiones radicales**
- aplicarás las reglas para hallar las áreas de rectángulos y verificar las soluciones de las ecuaciones cuadráticas

Las expresiones radicales pueden escribirse en más de una manera. En esta lección aprenderás unas reglas para reescribir expresiones radicales.

En el Ejemplo A de tu libro se muestra cómo puedes usar el teorema de Pitágoras para dibujar un segmento de longitud $\sqrt{13} + \sqrt{13}$. El ejemplo indica que $\sqrt{13} + \sqrt{13}$ equivale a $2\sqrt{13}$. Lee este ejemplo atentamente y asegúrate de que lo entiendes. Usarás métodos parecidos durante la investigación.

Investigación: Expresiones radicales

Pasos 1–3 En papel cuadriculado, dibuja segmentos de recta que tengan las longitudes dadas en el Paso 1. Quizás necesites dibujar más de un triángulo para crear algunas de las longitudes. Aquí tienes los dibujos correspondientes a las partes a, e, y h.

a.
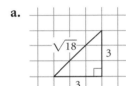

e.
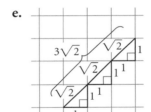

h.
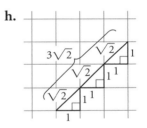

Todos estos segmentos tienen la misma longitud. Esto ilustra que $\sqrt{18}$, $3\sqrt{2}$, y $\sqrt{2} + \sqrt{2} + \sqrt{2}$ son expresiones equivalentes. (Puedes verificar esto encontrando las aproximaciones decimales con tu calculadora.)

Tus dibujos deben mostrar también que $\sqrt{40}$, $2\sqrt{10}$, y $\sqrt{10} + \sqrt{10}$ son equivalentes, y que $\sqrt{20}$, $2\sqrt{5}$, y $\sqrt{5} + \sqrt{5}$ son equivalentes.

Pasos 4–6 Observa las expresiones del Paso 4. Intenta encontrar otra manera de escribir cada expresión. Sustituye las variables por valores positivos para verificar que tu expresión es equivalente a la original. Aquí se muestran los resultados.

a. $4\sqrt{x}$ b. $\sqrt{xy}$ c. $x\sqrt{y}$ ó $\sqrt{x^2 y}$

d. x ó $\sqrt{x^2}$ e. $\sqrt{x}$

A continuación se resumen algunas de las cosas que has aprendido sobre la reescritura de las expresiones radicales.

- Puedes sumar o restar expresiones radicales que tengan el mismo número dentro del símbolo de raíz cuadrada.
- La raíz cuadrada de un número multiplicada por la raíz cuadrada de otro número es igual a la raíz cuadrada del producto.
- La raíz cuadrada de un número dividida por la raíz cuadrada de otro número es igual a la raíz cuadrada del cociente.

(continúa)

Lección 11.5 • Operaciones con raíces (continuación)

Usa lo que has aprendido para hallar el área de cada rectángulo en el Paso 6.
Aquí se presentan los resultados de las partes b y d.

b. $2\sqrt{7} \cdot 2\sqrt{7} = 2 \cdot 2 \cdot \sqrt{7}\sqrt{7}$

$\qquad = 4\sqrt{7 \cdot 7}$

$\qquad = 4\sqrt{49}$

$\qquad = 4 \cdot 7 = 28$

El área es 28 pulgadas cuadradas.

d. $7\sqrt{8}\left(5 + 6\sqrt{12}\right) = 35\sqrt{8} + 42\sqrt{96}$

$\qquad = 35\sqrt{4 \cdot 2} + 42\sqrt{16 \cdot 6}$

$\qquad = 35\sqrt{4} \cdot \sqrt{2} + 42\sqrt{16}\sqrt{6}$

$\qquad = 35(2)\sqrt{2} + 42(4)\sqrt{6}$

$\qquad = 70\sqrt{2} + 168\sqrt{6}$

El área es aproximadamente 510.51 centímetros cuadrados.

Ahora sigue con el Ejemplo B en tu libro. Luego lee las reglas para reescribir las expresiones radicales que están en la página 605. En el Ejemplo C se muestra cómo puedes usar las reglas para verificar una solución de una ecuación cuadrática. Aquí se presenta otro ejemplo.

EJEMPLO | Muestra que $-3 + \sqrt{2}$ es una solución de $x^2 + 6x + 7 = 0$.

▶ **Solución**

$\qquad\qquad x^2 + 6x + 7$ Expresión original.

$\left(-3 + \sqrt{2}\right)^2 + 6\left(-3 + \sqrt{2}\right) + 7$ Sustituye x por $-3 + \sqrt{2}$.

$\left(-3 + \sqrt{2}\right)^2 - 18 + 6\sqrt{2} + 7$ Distribuye 6 en $-3 + \sqrt{2}$.

Usa un diagrama rectangular para cuadrar $-3 + \sqrt{2}$.

	-3	$\sqrt{2}$
-3	9	$-3\sqrt{2}$
$\sqrt{2}$	$-3\sqrt{2}$	2

$\left(9 - 3\sqrt{2} - 3\sqrt{2} + 2\right) - 18 + 6\sqrt{2} + 7$

$9 + 2 - 18 + 7$ Combina los términos $-3\sqrt{2}$, $-3\sqrt{2}$, y $6\sqrt{2}$.

0 Suma y resta.

Al sustituir x por $\left(-3 + \sqrt{2}\right)$ la expresión $x^2 + 6x + 7$ se hace igual a 0, de modo que $-3 + \sqrt{2}$ es una solución de la ecuación $x^2 + 6x + 7 = 0$.

11.6 Fórmula de la distancia

LECCIÓN CONDENSADA

En esta lección

- descubrirás la **fórmula de la distancia,** que se utiliza para encontrar la distancia entre dos puntos
- resolverás ecuaciones que contienen expresiones radicales

En el Ejemplo A de tu libro se muestra cómo puedes hallar la distancia entre dos puntos graficándolos, trazando un triángulo rectángulo, y aplicando el teorema de Pitágoras. Lee ese ejemplo atentamente. En la investigación, aprenderás una fórmula que puede usarse para hallar la distancia entre dos puntos sin graficarlos.

Investigación: Parque de diversiones

Pasos 1–4 Observa el mapa del parque de diversiones en la página 612. Puedes hallar las coordenadas para cada una de las atracciones.

a. Acróbatas: $(-1, 4)$ **b.** Lanzamiento de pelotas: $(-2, -2)$

c. Carros chocones: $(-4, -3)$ **d.** Rueda de la fortuna: $(0, 0)$

e. Casa de los espejos: $(3, 1)$ **f.** Tienda de pantomima: $(3, 3)$

g. Puesto de refrescos: $(-5, 2)$ **h.** Montaña rusa: $(-4, 5)$

i. Martillo: $(2, -3)$

Halla la distancia exacta entre cada par de atracciones enumeradas en el Paso 2. Para las atracciones que no se ubican en la misma recta horizontal o vertical, necesitarás dibujar un triángulo rectángulo y usar el teorema de Pitágoras. Por ejemplo, puedes usar este triángulo para hallar la distancia entre el puesto de refrescos y el lanzamiento de pelotas.

$$3^2 + 4^2 = d^2$$
$$9 + 16 = d^2$$
$$25 = d^2$$

Debes obtener las siguientes respuestas.

a. 6 unidades   **b.** $\sqrt{10}$ unidades   **c.** 2 unidades

d. 5 unidades   **e.** $\sqrt{85}$ unidades

La montaña rusa y el martillo son los más alejados. Usando el teorema de Pitágoras, puedes calcular que la distancia entre ellos es 10 unidades. Si cada unidad representa 0.1 milla, entonces están separados 1 milla.

(continúa)

Supón que Chris estaciona su auto en $(17, -9)$. Imagina un triángulo rectángulo cuya hipotenusa se extiende desde el puesto de refrescos hasta el auto de Chris. La longitud del cateto horizontal es la diferencia entre las coordenadas x: $17 - (-5) = 22$. La longitud del cateto vertical es la diferencia entre las coordenadas y: $-9 - 2 = -11$. Si d es la longitud de la hipotenusa, entonces $d^2 = 22^2 + 11^2$, ó 605; de modo que $d = \sqrt{605}$, ó aproximadamente 24.6 unidades. Si cada unidad es de 0.1 milla, la distancia es 2.46 millas.

Pasos 5–9 Se está considerando la posibilidad de poner dos nuevas atracciones en el parque. La primera, P_1, tendrá las coordenadas (x_1, y_1) y la segunda, P_2, tendrá las coordenadas (x_2, y_2). Puedes dibujar un triángulo rectángulo con catetos que son paralelos a los ejes y la hipotenusa $\overline{P_1P_2}$.

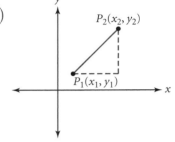

La distancia vertical entre P_1 y P_2 es $y_2 - y_1$. La distancia horizontal entre P_1 y P_2 es $x_2 - x_1$. Usando el teorema de Pitágoras, sabes que

$$distancia^2 = (x_2 - x_1)^2 + (y_2 - y_1)^2$$

Sacando la raíz cuadrada de ambos lados, obtienes la fórmula

$$distancia = \sqrt{(x_2 - x_1)^2 + (y_2 - y_1)^2}$$

Esta fórmula funciona para dos puntos cualesquiera. Por ejemplo, los carros chocones tienen las coordenadas $(-4, -3)$ y la tienda de pantomima tiene las coordenadas $(3, 3)$. Puedes usar la fórmula para encontrar la distancia entre estas dos atracciones.

$$distancia = \sqrt{(3 - (-4))^2 + (3 - (-3))^2} = \sqrt{(7)^2 + (6)^2} = \sqrt{49 + 36} = \sqrt{85}$$

La fórmula que derivaste en la investigación se conoce como la **fórmula de la distancia.** Lee sobre esta fórmula en la página 614 de tu libro. Después lee los Ejemplos B y C. En el Ejemplo C se pone énfasis en la importancia de verificar tus soluciones cuando resuelves una ecuación con raíz cuadrada. Aquí se presenta otro ejemplo.

EJEMPLO | Resuelve la ecuación $\sqrt{2x - 5} = x - 4$.

▶ **Solución**

$\sqrt{2x - 5} = x - 4$	Ecuación original.
$\left(\sqrt{2x - 5}\right)^2 = (x - 4)^2$	Eleva ambos lados al cuadrado para deshacer la raíz cuadrada.
$2x - 5 = x^2 - 8x + 16$	Resultado de elevar al cuadrado.
$0 = x^2 - 10x + 21$	Suma $-2x$ y 5 a ambos lados.
$x = 3$ ó $x = 7$	Usa la fórmula cuadrática, una gráfica, o una tabla para resolver.

Verifica:

$\sqrt{2(3) - 5} = \sqrt{1} = 1$ y $3 - 4 = -1$, de modo que 3 *no* es una solución.

$\sqrt{2(7) - 5} = \sqrt{9} = 3$ y $7 - 4 = 3$, de modo que 7 es una solución.

Triángulos semejantes y funciones trigonométricas

En esta lección

- resolverás una proporción para hallar las longitudes desconocidas de un lado en un par de triángulos semejantes
- identificarás los **catetos opuesto** y **adyacente** a un **ángulo agudo** de un triángulo rectángulo
- calcularás las razones **seno, coseno,** y **tangente** de los ángulos agudos de un triángulo rectángulo

Sabes que los *polígonos semejantes* tienen lados correspondientes que son proporcionales. En el Ejemplo A de tu libro se revisa cómo encontrar la longitud desconocida de un lado en triángulos semejantes, resolviendo una proporción. Lee y sigue ese ejemplo. Después lee el texto que sucede el ejemplo.

Investigación: Razón, razón, razón

A continuación se presentan cuatro triángulos rectángulos. En cada triángulo, el lado rotulado *o* es el cateto **opuesto** al ángulo *A* y el lado rotulado *a* es el cateto **adyacente** al ángulo *A*. El lado con rótulo *h* es la hipotenusa.

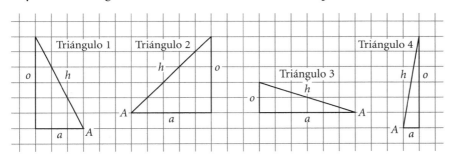

Para cada triángulo, encuentra la medida del ángulo *A*, y regístralo junto con las longitudes de los lados en una tabla. Dibuja dos o tres triángulos rectángulos más y agrega sus datos en la tabla. Aquí se presentan las mediciones para los triángulos anteriores.

	Triángulo 1	Triángulo 2	Triángulo 3	Triángulo 4
Medida del ángulo *A*	63°	45°	18°	81°
Longitud del cateto adyacente (*a*)	3	5	6	1
Longitud del cateto opuesto (*o*)	6	5	2	6
Longitud de la hipotenusa (*h*)	$\sqrt{45} \approx 6.71$	$\sqrt{50} \approx 7.07$	$\sqrt{40} \approx 6.32$	$\sqrt{37} \approx 6.08$

(continúa)

Lección 11.7 • Triángulos semejantes y funciones trigonométricas (continuación)

Calcula las razones $\frac{o}{h}$, $\frac{a}{h}$, y $\frac{o}{a}$ para cada triángulo. Aquí se muestran los resultados para los mismos triángulos.

	Triángulo 1	Triángulo 2	Triángulo 3	Triángulo 4
Medida del ángulo A	63°	45°	18°	81°
$\frac{o}{h}$	$\frac{6}{\sqrt{45}} \approx 0.89$	$\frac{5}{\sqrt{50}} \approx 0.71$	$\frac{2}{\sqrt{40}} \approx 0.32$	$\frac{6}{\sqrt{37}} \approx 0.99$
$\frac{a}{h}$	$\frac{3}{\sqrt{45}} \approx 0.45$	$\frac{5}{\sqrt{50}} \approx 0.71$	$\frac{6}{\sqrt{40}} \approx 0.95$	$\frac{1}{\sqrt{37}} \approx 0.16$
$\frac{o}{a}$	$\frac{6}{3} = 2$	$\frac{5}{5} = 1$	$\frac{1}{3} = 0.\overline{3}$	$\frac{6}{1} = 6$

Ahora, con tu calculadora en el modo de grados, encuentra el seno, el coseno, y la tangente del ángulo A, y registra los resultados en la tabla. (Consulta **Calculator Note 11A** para aprender cómo manejar estas funciones en tu calculadora.) Aquí se presentan los resultados para estos triángulos.

	Triángulo 1	Triángulo 2	Triángulo 3	Triángulo 4
Medida del ángulo A	63°	45°	18°	81°
seno A	0.89	0.71	0.31	0.99
coseno A	0.45	0.71	0.95	0.16
tangente A	1.97	1	0.32	6.31

Estos resultados son aproximadamente iguales a las razones de la tabla anterior. Si hubieras medido los ángulos hasta la décima o la centésima de grado más cercana, los resultados estarían más ajustados. Las razones seno, coseno, y tangente (abreviadas sin, cos, y tan) se definen de la manera siguiente.

$$\sin A = \frac{cateto\ opuesto}{hipotenusa} \qquad \cos A = \frac{cateto\ adyacente}{hipotenusa} \qquad \tan A = \frac{cateto\ opuesto}{cateto\ adyacente}$$

Elige uno de los cuatro triángulos anteriores y dibuja un triángulo rectángulo más grande, con un ángulo agudo congruente al ángulo A. Rotula al ángulo congruente con D. Mide las longitudes laterales y calcula las razones seno, coseno, y tangente para el ángulo D. Debes encontrar que las razones son las mismas que las del triángulo original.

El seno, el coseno, y la tangente son conocidos como *funciones trigonométricas* y son fundamentales en la rama de las matemáticas conocida como *trigonometría*. Aprender a identificar las partes de un triángulo rectángulo y evaluar estas funciones para mediciones particulares de ángulos es una importante herramienta para resolver problemas. En el recuadro de la página 620 se repasa lo que has aprendido sobre estas funciones.

En el Ejemplo B de tu libro se muestra cómo hallar las razones seno, coseno, y tangente para ángulos particulares de un triángulo. Lee el Ejemplo B y después lee el ejemplo que se presenta a continuación.

(continúa)

Discovering Algebra Condensed Lessons in Spanish
©2004 Key Curriculum Press

Lección 11.7 • Triángulos semejantes y funciones trigonométricas (continuación)

EJEMPLO

Encuentra las razones para este triángulo.

a. cos A   **b.** tan A   **c.** cos B   **d.** sin B

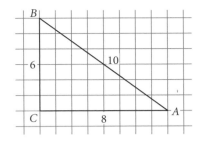

▶ **Solución**

Para el ángulo A, $a = 8$, $o = 6$, y $h = 10$.

a. $\cos A = \dfrac{a}{h} = \dfrac{8}{10} = \dfrac{4}{5}$ **b.** $\tan A = \dfrac{o}{a} = \dfrac{6}{8} = \dfrac{3}{4}$

Para el ángulo B, $a = 6$, $o = 8$, y $h = 10$.

a. $\cos B = \dfrac{a}{h} = \dfrac{6}{10} = \dfrac{3}{5}$ **b.** $\sin B = \dfrac{o}{h} = \dfrac{8}{10} = \dfrac{4}{5}$

Trigonometría

En esta lección

- usarás las **funciones trigonométricas** para hallar las longitudes laterales de un triángulo rectángulo
- usarás las **funciones trigonométricas inversas** para encontrar las medidas de los ángulos de un triángulo rectángulo
- usarás la trigonometría para ayudarte a interpretar un **mapa topográfico**

Si conoces la medida de un ángulo agudo de un triángulo rectángulo y la longitud de un lado, puedes usar funciones trigonométricas para encontrar las longitudes de los otros lados. Si conoces las longitudes de los lados, puedes usar funciones trigonométricas inversas para hallar las medidas de los ángulos. Estas ideas se presentan en los Ejemplos A y B de tu libro. Aquí hay dos ejemplos más.

EJEMPLO A Encuentra el valor x en este triángulo.

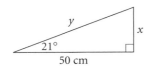

▶ **Solución** La variable x representa la longitud del cateto opuesto al ángulo de 21°. La longitud del cateto adyacente es 50 cm.

$$\tan A = \frac{o}{a} \qquad \text{Definición de tangente.}$$

$$\tan 21° = \frac{x}{50} \qquad \text{Sustituye } A \text{ por 21° y } a \text{ por 50.}$$

$$50 \tan 21° = x \qquad \text{Multiplica ambos lados por 50.}$$

$$19.2 \approx x \qquad \text{Evalúa la función tangente y multiplica.}$$

La longitud de x es aproximadamente 19.2 cm. Ahora, intenta hallar la longitud de y.

EJEMPLO B Encuentra la medida del ángulo A.

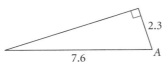

▶ **Solución** Como conoces la longitud del cateto adyacente al ángulo A y la longitud de la hipotenusa, puedes encontrar la razón coseno.

$$\cos A = \frac{2.3}{7.6} \approx 0.303$$

Puedes hallar la medida del ángulo con el coseno inverso de 0.303.

$$A = \cos^{-1}(0.303) \approx 72°$$

(continúa)

Investigación: Lectura de mapas topográficos

El *mapa topográfico* en la página 627 de tu libro muestra la elevación de una colina. En el mapa, existe una subida vertical de 20 metros entre cada dos anillos o *curvas de nivel*. Estudia el mapa hasta que creas que lo entiendes.

Las curvas de nivel están más separadas en el lado occidental de la cumbre que en el lado oriental. Esto indica que la subida es más gradual si te acercas desde el lado occidental.

Supón que caminas desde el lado occidental, pasas sobre la cumbre, y bajas por el lado oriental. Las curvas de nivel y la cumbre dividen la excursión en 8 secciones. La pendiente de cada sección es la subida vertical (el cambio en elevación) dividido entre el recorrido horizontal (la distancia entre las curvas de nivel). Estos dibujos muestran un triángulo de pendiente para cada sección de la excursión.

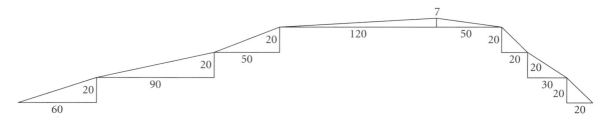

Usa el teorema de Pitágoras para hallar la longitud de la hipotenusa de cada triángulo de pendiente. Esta longitud se aproxima a la distancia real recorrida en esa sección de la excursión. Aquí se ven los resultados.

Sección 1: 63.2 m   Sección 2: 92.2 m   Sección 3: 53.9 m   Sección 4: 120.2 m

Sección 5: 50.5 m   Sección 6: 28.3 m   Sección 7: 36.1 m   Sección 8: 28.3 m

Usa la función tangente inversa para hallar el ángulo de subida de cada sección. Por ejemplo, $\tan^{-1}\left(\frac{20}{65}\right)$ es el ángulo de subida para la sección 1.

Sección 1: 18°   Sección 2: 13°   Sección 3: 22°   Sección 4: 3°

Sección 5: 8°   Sección 6: 45°   Sección 7: 34°   Sección 8: 45°

Mide cada ángulo y compara tus resultados con los anteriores.

Ahora lee el resto de la lección en tu libro.

Key Curriculum Press

Innovators in Mathematics Education

Comment Form

Please take a moment to provide us with feedback about this book. We are eager to read any comments or suggestions you may have. Once you've filled out this form, simply fold it along the dotted lines and drop it in the mail. We'll pay the postage. Thank you!

Your Name _____

School _____

School Address _____

City/State/Zip _____

Phone _____

Book Title _____

Please list any comments you have about this book.

_____

_____

_____

_____

_____

_____

_____

_____

_____

Do you have any suggestions for improving the student or teacher material?

_____

_____

_____

_____

_____

_____

To request a catalog, or place an order, call us toll free at 800-995-MATH, or send a fax to 800-541-2242. For more information, visit Key's website at www.keypress.com.

Please detach page, fold on lines, and tape edge.

NO POSTAGE
NECESSARY
IF MAILED
IN THE
UNITED STATES

BUSINESS REPLY MAIL
FIRST CLASS   PERMIT NO. 338   OAKLAND, CA

POSTAGE WILL BE PAID BY ADDRESSEE

KEY CURRICULUM PRESS
1150 65TH STREET
EMERYVILLE CA 94608-9740